D1268651

COSMICÓMIC

AMEDEO BALBI · ROSSANO PICCIONI

COSMICÓMIC

EL DESCUBRIMIENTO DEL BIG BANG

Traducción de Julia Osuna Aguilar
(Las Cuatro de Syldavia)

Título original: *Cosmicomic. Gli uomini che scoprirono il Big Bang -
Amedeo Balbi y Rossano Piccioni*

Copyright © Codice edizioni, 2013
Copyright de la edición en castellano © Ediciones Salamandra, 2014

Traducción del italiano de Julia Osuna Aguilar
Maquetación y rotulación de La Salita Gráfica

Publicaciones y Ediciones Salamandra, S.A.
Almogàvers 56, 7º 2º - 08018 Barcelona - Tel. 93 215 11 99
www.salamandra.info

Reservados todos los derechos. Queda rigurosamente prohibida, sin la
autorización escrita de los titulares del "Copyright", bajo las sanciones
establecidas en las leyes, la reproducción parcial o total de esta obra por
cualquier medio o procedimiento, incluidos la reprografía y el tratamiento
informático, así como la distribución de ejemplares mediante alquiler
o préstamo públicos.

ISBN: 978-84-16131-06-8
Depósito legal: B-9.057-2014

1ª edición, mayo de 2014
Printed in Spain

Impreso y encuadernado en Liberdúplex

Para Sara e Ivan,
por vuestros descubrimientos

Para Viola,
que siempre pregunta por qué

"Y DIOS
DIJO: 'HÁGASE
LA LUZ'."

"Y LA LUZ
SE HIZO."

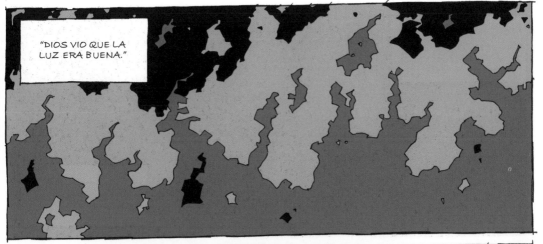

"DIOS VIO QUE LA
LUZ ERA BUENA."

"Y SEPARÓ LA
LUZ DE LAS
TINIEBLAS."

EL GÉNESIS,
EL ORIGEN DEL
UNIVERSO.

ASÍ ME LO
ENSEÑARON DE
PEQUEÑO EN LA
ESCUELA HEBREA.

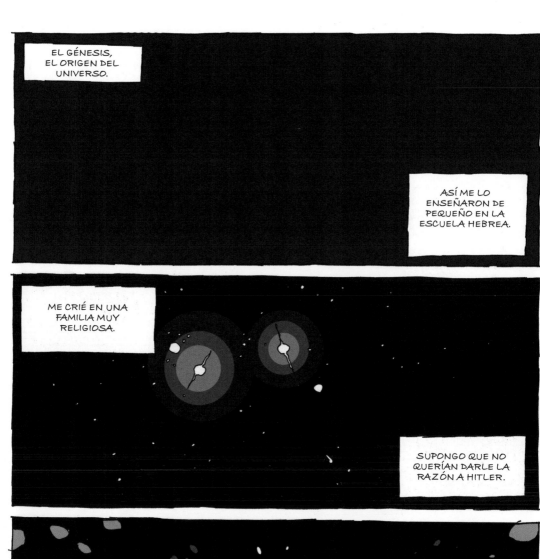

ME CRIÉ EN UNA
FAMILIA MUY
RELIGIOSA.

SUPONGO QUE NO
QUERÍAN DARLE LA
RAZÓN A HITLER.

DEJÉ ALEMANIA
EN 1939. TRAS LA NOCHE
DE LOS CRISTALES
ROTOS, LOS INGLESES
ORGANIZARON CONVOYES
HUMANITARIOS PARA AL
MENOS PONER A SALVO
A LOS MÁS PEQUEÑOS.

MIS PADRES NOS
METIERON A MI
HERMANO MENOR Y A
MÍ EN UN TREN RUMBO
A INGLATERRA.

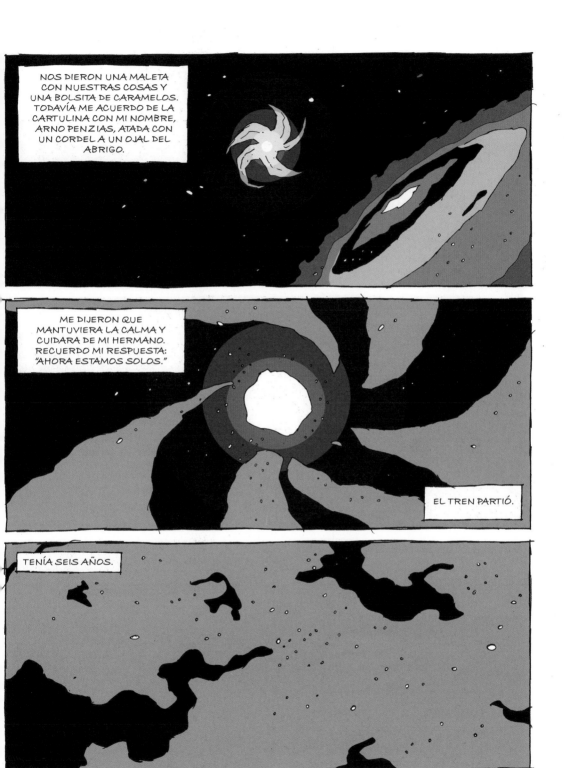

NOS DIERON UNA MALETA CON NUESTRAS COSAS Y UNA BOLSITA DE CARAMELOS. TODAVÍA ME ACUERDO DE LA CARTULINA CON MI NOMBRE, ARNO PENZIAS, ATADA CON UN CORDEL A UN OJAL DEL ABRIGO.

ME DIJERON QUE MANTUVIERA LA CALMA Y CUIDARA DE MI HERMANO. RECUERDO MI RESPUESTA: "AHORA ESTAMOS SOLOS."

EL TREN PARTIÓ.

TENÍA SEIS AÑOS.

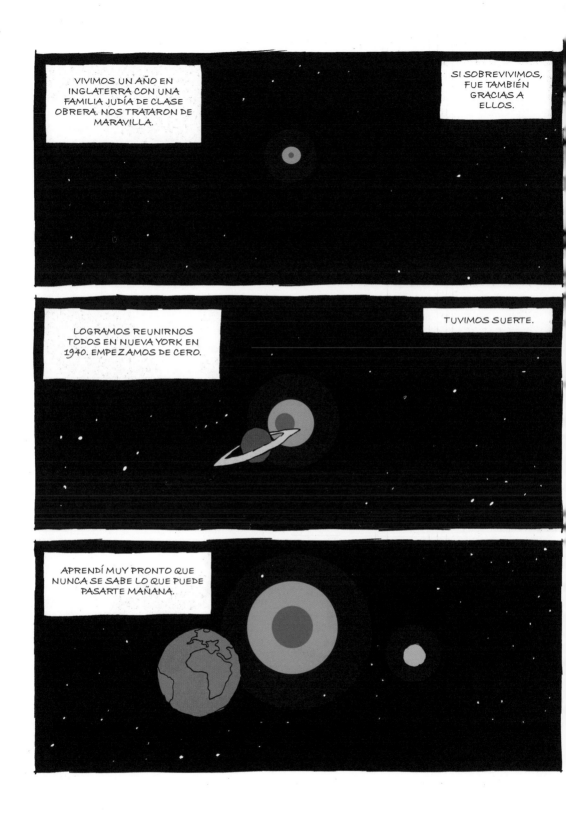

VIVIMOS UN AÑO EN INGLATERRA CON UNA FAMILIA JUDÍA DE CLASE OBRERA. NOS TRATARON DE MARAVILLA.

SI SOBREVIVIMOS, FUE TAMBIÉN GRACIAS A ELLOS.

LOGRAMOS REUNIRNOS TODOS EN NUEVA YORK EN 1940. EMPEZAMOS DE CERO.

TUVIMOS SUERTE.

APRENDÍ MUY PRONTO QUE NUNCA SE SABE LO QUE PUEDE PASARTE MAÑANA.

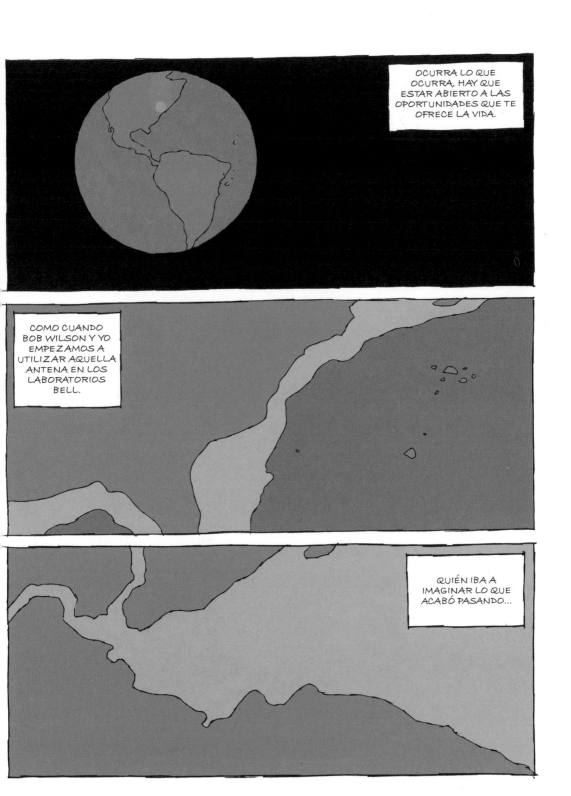

BELL LABORATORIES, HOLMDEL (NUEVA JERSEY), 1964.

ENTONCES, ¿QUÉ, BOB? ¿ESTAMOS ACABADOS?

HOMBRE, SI NO RESOLVEMOS EL PROBLEMA DE LA ANTENA, PODEMOS DESPEDIRNOS DE LA IDEA DE MEDIR LA EMISIÓN DE RADIO DE LA VÍA LÁCTEA.

A VER, RECAPITULEMOS. TENEMOS RUIDO EN LAS MEDIDAS, INDEPENDIENTEMENTE DE HACIA DÓNDE APUNTEMOS LA ANTENA.

HEMOS DESCARTADO QUE SEA DE LA ATMÓSFERA. EL RUIDO NO PUEDE VENIR DE LA VÍA LÁCTEA Y TAMPOCO DE OTROS OBJETOS CELESTES.

YA.

TÚ LO SABES MEJOR QUE YO, ARNO.

¿CÓMO ES DE GRANDE EL UNIVERSO?

¿ES NUESTRA GALAXIA, LA VÍA LÁCTEA, TODO LO QUE EXISTE? ¿O ACASO LAS NUMEROSAS NEBULOSAS ESPIRALES QUE SE HAN OBSERVADO CON LOS MEJORES TELESCOPIOS ACTUALES SON, EN SU OPINIÓN, GALAXIAS IGUALES QUE LA NUESTRA? COMO SABEN, LA PREGUNTA ES OBJETO DE UN GRAN DEBATE.

POR ESTA RAZÓN LES HEMOS PEDIDO A DOS REPUTADOS ASTRÓNOMOS QUE EXPONGAN EN PÚBLICO SUS ARGUMENTOS EN DEFENSA DE CADA PUNTO DE VISTA.

EL PROFESOR HEBER CURTIS, DEL OBSERVATORIO LICK...

...Y EL PROFESOR HARLOW SHAPLEY, DEL OBSERVATORIO DE MOUNT WILSON, A QUIEN CEDO AHORA LA PALABRA.

GRACIAS, AMABLES CABALLEROS.

CREO INNECESARIO RECORDARLES QUE MEDIR LAS DISTANCIAS DEL UNIVERSO ES UNA DE LAS CUESTIONES MÁS COMPLEJAS DE LA ASTRONOMÍA.

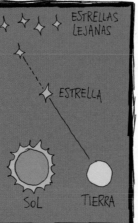

EN EL CASO DE UNA ESTRELLA CERCANA PODEMOS UTILIZAR GEOMETRÍA SENCILLA: CUANDO LA TIERRA SE DESPLAZA POR SU ÓRBITA ALREDEDOR DEL SOL...

ESTRELLAS LEJANAS

ESTRELLA

SOL

TIERRA

ESTRELLAS LEJANAS

ESTRELLA

SOL

TIERRA

POR SUPUESTO, CON LAS ESTRELLAS LEJANAS ESTE MÉTODO NO FUNCIONA.

...VEMOS QUE DICHA ESTRELLA CAMBIA DE POSICIÓN RESPECTO A LAS OTRAS MÁS LEJANAS, QUE EN CAMBIO PERMANECEN FIJAS. SI MEDIMOS ESTE DESPLAZAMIENTO PODEMOS CALCULAR LA DISTANCIA A LA QUE SE HALLA LA ESTRELLA.

EN ESTE CASO PODEMOS RECURRIR A OTRO MÉTODO. UNA ESTRELLA DISTANTE SE MOSTRARÁ MENOS LUMINOSA QUE UNA ESTRELLA IDÉNTICA PERO MÁS CERCANA, IGUAL QUE OCURRE CON DOS VELAS IGUALES VISTAS A DISTANCIAS DISTINTAS.

POR CONSIGUIENTE, SI TENEMOS MANERA DE CONOCER LA LUMINOSIDAD REAL DE UNA ESTRELLA, MIDIENDO SU LUMINOSIDAD APARENTE, PODEMOS CALCULAR SU DISTANCIA.

EN LOS ÚLTIMOS AÑOS HE REALIZADO MEDIDAS PRECISAS DE LAS DISTANCIAS DE DECENAS DE CÚMULOS GLOBULARES.

COMO SABEN, SE TRATA DE SISTEMAS ESTELARES QUE PERTENECEN A NUESTRA GALAXIA Y CONTIENEN DECENAS O CENTENARES DE MILES DE ESTRELLAS.

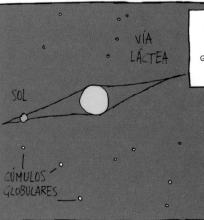

PUES BIEN, MIS ESTUDIOS DEMUESTRAN QUE LOS CÚMULOS GLOBULARES SE DISTRIBUYEN DE MANERA MÁS O MENOS ESFÉRICA EN TORNO AL CENTRO DE LA GALAXIA. EN CONSECUENCIA, HE UTILIZADO SUS DISTANCIAS COMO REFERENCIAS DE LAS DIMENSIONES DE LA VÍA LÁCTEA.

VÍA LÁCTEA

SOL

CÚMULOS GLOBULARES

MIS ESTIMACIONES MUESTRAN QUE ES MUCHO MÁS GRANDE DE LO QUE HABÍAMOS IMAGINADO: LA GALAXIA TIENE UN DIÁMETRO DE UNOS CIENTOS DE MILES DE AÑOS LUZ.

EN OTRAS PALABRAS, RESULTA QUE NUESTRO SOL ESTÁ A DECENAS DE MILES DE AÑOS LUZ DE DISTANCIA DEL CENTRO DE LA GALAXIA.

IGUAL QUE COPÉRNICO DEMOSTRÓ QUE LA TIERRA NO ESTABA EN EL CENTRO DEL UNIVERSO, YO CONCLUYO QUE ¡TAMPOCO NUESTRO SISTEMA SOLAR LO ESTÁ!

PERO, VOLVIENDO A LA CUESTIÓN DE LA NATURALEZA DE LAS NEBULOSAS ESPIRALES, QUIERO CEDER LA PALABRA AL PROFESOR CURTIS. PREFIERO NO SACAR CONCLUSIONES DEFINITIVAS.

AUNQUE SI LAS NEBULOSAS ESPIRALES FUERAN REALMENTE GALAXIAS DE PROPORCIONES SIMILARES A LA NUESTRA, DEBERÍAN HALLARSE A DISTANCIAS DE TAL MAGNITUD QUE ÉSTAS SERÍAN POCO PLAUSIBLES.

GRACIAS, PROFESOR SHAPLEY. CABALLEROS, ¿QUÉ SON EN REALIDAD LAS NEBULOSAS ESPIRALES?

EN NUESTROS TELESCOPIOS, INCLUSO EN LOS MÁS POTENTES, SE NOS MUESTRAN COMO MANCHAS TENUES Y DIFUSAS. NO CONSEGUIMOS DISTINGUIR SI SE TRATA DE SIMPLES NUBES DE MATERIA O DE ENORMES CÚMULOS DE ESTRELLAS.

FUE EL FILÓSOFO IMMANUEL KANT EL PRIMERO EN FORMULAR LA HIPÓTESIS DE QUE LAS NEBULOSAS ESPIRALES FUESEN "UNIVERSOS ISLA": GALAXIAS DE ESTRELLAS, IGUALES QUE NUESTRA VÍA LÁCTEA.

PERO KANT NO DISPONÍA DE LOS MEDIOS PARA PROBAR SU HIPÓTESIS.

HOY EN DÍA, SIN EMBARGO, NUESTROS INSTRUMENTOS EMPIEZAN A INDICAR QUE LA LUZ DE DICHAS NEBULOSAS POSEE LAS CARACTERÍSTICAS QUE CABRÍA ESPERAR DE UN GRAN CÚMULO DE ESTRELLAS, Y NO DE UNA NUBE DE MATERIA.

DICHO DE OTRO MODO, TENEMOS TODAS LAS RAZONES PARA PENSAR QUE NUESTRA PROPIA GALAXIA, VISTA POR UN OBSERVADOR EXTERNO, TENDRÍA EL MISMO ASPECTO DE ESPIRAL GIGANTESCA.

EN EL INTERIOR DE LAS NEBULOSAS ESPIRALES SE HAN OBSERVADO MUCHAS NOVAS, QUE, COMO SABEN, SON ESTRELLAS QUE APARECEN SIN PREVIO AVISO PARA DESAPARECER TIEMPO DESPUÉS.

DA LA IMPRESIÓN DE SER CONSECUENCIA EVIDENTE DE QUE LAS NEBULOSAS SON REALMENTE CÚMULOS ENORMES DE ESTRELLAS.

CABALLEROS, LA MENTE DEL HOMBRE HA FORMULADO POCAS IDEAS MÁS GRANDIOSAS QUE ÉSTA.

BASTE DECIR QUE NOSOTROS, HABITANTES MICROSCÓPICOS DE UN PLANETA MENOR DE UNO DE LOS MILLONES DE SOLES QUE FORMAN NUESTRA GALAXIA, PODEMOS VER MÁS ALLÁ DE SUS CONFINES Y OBSERVAR OTRAS GALAXIAS SIMILARES, TODAS Y CADA UNA COMPUESTAS DE MILLONES DE SOLES O INCLUSO MÁS.

Y QUE, AL HACERLO, ESTAMOS PENETRANDO EN EL COSMOS A DISTANCIAS DE CENTENARES DE MILLONES DE AÑOS LUZ.

PLAS PLAS PLAS PLAS PLAS PLAS PLAS PLAS PLAS PLAS

UNA EXPOSICIÓN DESLUMBRANTE, PROFESOR CURTIS.

GRACIAS, PROFESOR SHAPLEY. LA SUYA TAMBIÉN ME HA PARECIDO BRILLANTE.

SI LE SOY SINCERO, ESPERABA QUE TOMASE UNA POSTURA MÁS ROTUNDA CONTRA LA TEORÍA DE LOS UNIVERSOS ISLA.

AH, ESO HABRÍA SIDO POCO INTELIGENTE POR MI PARTE, SE SABE AÚN TAN POCO DE LAS NEBULOSAS ESPIRALES...

BUENO, CON EL NUEVO TELESCOPIO DE MOUNT WILSON, DE 2,5 METROS, SEGURO QUE PODRÁ APORTAR UNA CONTRIBUCIÓN DECISIVA A ESTA CUESTIÓN.

¡EN REALIDAD, ESPERO DEJAR MOUNT WILSON LO ANTES POSIBLE!

ES QUE SOY CANDIDATO AL CARGO DE DIRECTOR DEL OBSERVATORIO DE HARVARD.

OBSERVATORIO DE MOUNT WILSON (CALIFORNIA), 6 DE OCTUBRE DE 1923.

¡EL MEJOR TELESCOPIO DEL MUNDO AL ALCANCE DE LA MANO Y NADIE QUE LO HAGA FUNCIONAR!

EM... SI QUIERE, PUEDO AYUDARLO YO.

¿USTED? ¿NOS CONOCEMOS?

ME LLAMO MILTON HUMASON.

TRAÍA LOS MULOS HASTA AQUÍ ARRIBA DURANTE LA CONSTRUCCIÓN DEL NUEVO TELESCOPIO. AHORA ME ENCARGO DE LA LIMPIEZA, PERO HE VISTO TRABAJAR A SU AYUDANTE. CREO QUE SÉ CÓMO SE HACE.

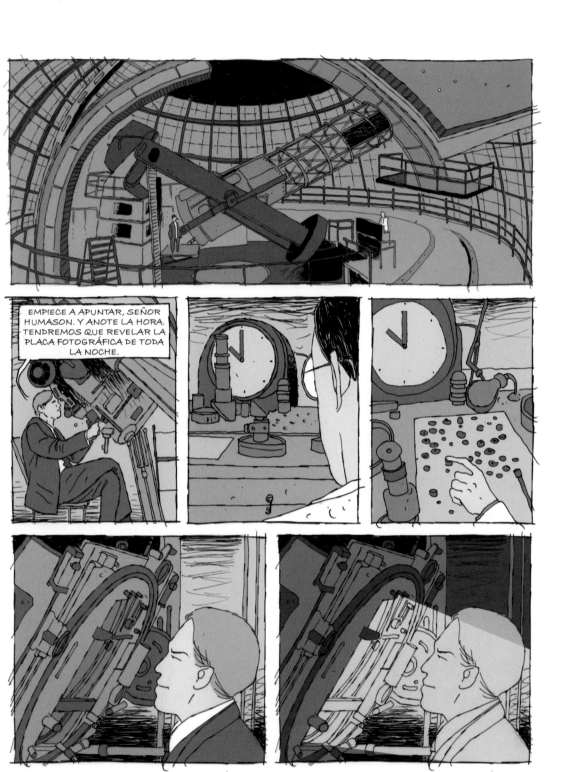

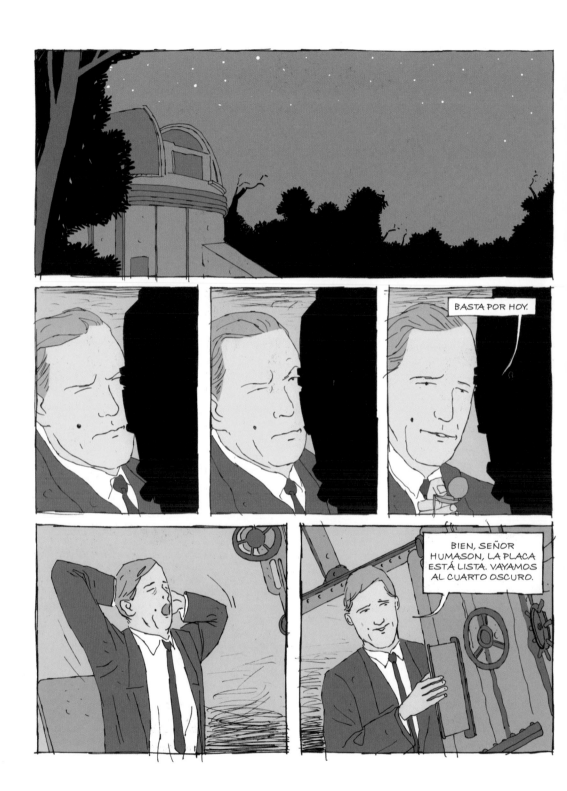

HUM... ¡NO ES UNA NOVA...!

¡ES UNA ESTRELLA VARIABLE!

¡POR JÚPITER! ¡HE ENCONTRADO UNA CEFEIDA EN M31!

NO ENTIENDO, DOCTOR HUBBLE... EM, COMANDANTE.

LAS CEFEIDAS SON UNA CLASE DE ESTRELLAS CUYA LUMINOSIDAD VARÍA CONTINUAMENTE EN EL INTERVALO DE VARIOS DÍAS.

...AUMENTAN Y DISMINUYEN CON EL PASO DEL TIEMPO, DE FORMA REGULAR, COMO UNA ONDA.

TIEMPO

HACE DIEZ AÑOS, HENRIETTA LEAVITT, DEL OBSERVATORIO DE HARVARD, HIZO UN DESCUBRIMIENTO DE SUMA IMPORTANCIA.

REPARÓ EN QUE EXISTE UNA RELACIÓN ENTRE LA VELOCIDAD EN QUE UNA CEFEIDA VARÍA SU LUMINOSIDAD Y LA LUMINOSIDAD EN SÍ.

EN LA PRÁCTICA, SI A UNA CEFEIDA LE LLEVA MÁS TIEMPO VARIAR LA LUMINOSIDAD, SIGNIFICA QUE ÉSTA TAMBIÉN ES INTRÍNSECAMENTE MÁS LUMINOSA. EXISTE POR TANTO UNA LEY. ¿ME SIGUE?

MÁS LUMINOSA

TIEMPO

MENOS LUMINOSA

ESTO SUPONE QUE PARA PODER CALCULAR LA LUMINOSIDAD INTRÍNSECA DE UNA CEFEIDA BASTA CON OBSERVARLA DURANTE UN TIEMPO Y MEDIR CUÁNTOS DÍAS TARDA LA LUZ EN VARIAR DE UN MÁXIMO A UN MÍNIMO.

PERO, SI CONOCEMOS LA LUMINOSIDAD INTRÍNSECA DE UNA ESTRELLA, AL CONFRONTARLA CON SU LUMINOSIDAD APARENTE, PODEMOS DEDUCIR SU DISTANCIA DE LA TIERRA.

¿COMPRENDE AHORA LA IMPORTANCIA DE HABER HALLADO UNA CEFEIDA EN M31?

¿QUE AHORA PODRÁ MEDIR LA DISTANCIA A LA NEBULOSA?

¡EXACTO! ¡ESTÁ USTED EN FORMA, SEÑOR HUMASON!

CLIC

LE PREGUNTARÉ AL DIRECTOR SI PUEDO TENERLO DE AYUDANTE FIJO.

¿AYUDANTE YO? PERO ¡SI NI SIQUIERA TERMINÉ LA ESCUELA!

PERO TIENE VOCACIÓN PARA ESTE OFICIO, SE NOTA. EN UN PRINCIPIO YO TAMPOCO ESTUDIÉ PARA SER ASTRÓNOMO, ¿SABE? HICE DERECHO, PARA CONTENTAR A MI PADRE, PERO CUANDO ME LICENCIÉ DECIDÍ QUE PREFERÍA SER UN ASTRÓNOMO FELIZ, AUNQUE FUESE DE SEGUNDA FILA, QUE UN ABOGADO DE PRIMERA, PERO INSATISFECHO. TOTAL, QUE ME DOCTORÉ EN ASTRONOMÍA Y AQUÍ ESTOY.

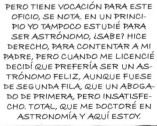

Y AHORA, SI ME DISCULPA, ME VOY A MEDIR EL UNIVERSO.

HARVARD COLLEGE OBSERVATORY,
CAMBRIDGE (MASSACHUSETTS),
19 DE FEBRERO DE 1924.

Carnegie Institution
of Washington
Mount Wilson Observatory
Pasadena, California

A/A Dr. Harlow Shapley, director
del Harvard College Observatory,
Cambridge (Massachusetts)

Te interesará saber
que he encontrado una
cefeida en la Nebulosa
de Andrómeda (M31). La
he seguido atentamente a
lo largo de la estación,
siempre que me lo ha
permitido el tiempo.
En los últimos cinco
meses he observado dos
estrellas variables y
tengo la impresión de que
encontraré más si prosigo
con las observaciones.

Basándome en los datos que
he analizado hasta la fecha,
he calculado que la distancia
de M31 es de aproximadamente
un millón de años luz.

Ante esto, quedan
pocas dudas de que M31
es una galaxia externa
a la Vía Láctea.

Cordialmente,
Edwin Hubble.

HE AQUÍ LA CARTA QUE DESTRUYE MI UNIVERSO.

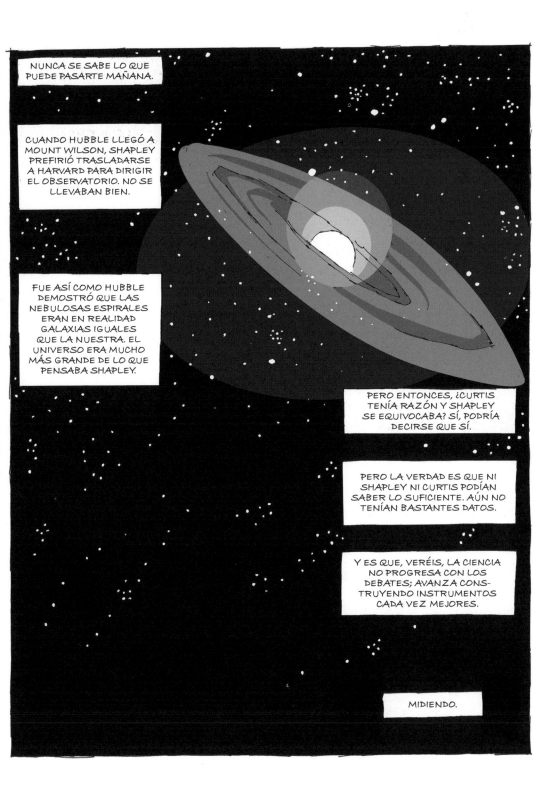

NUNCA SE SABE LO QUE PUEDE PASARTE MAÑANA.

CUANDO HUBBLE LLEGÓ A MOUNT WILSON, SHAPLEY PREFIRIÓ TRASLADARSE A HARVARD PARA DIRIGIR EL OBSERVATORIO. NO SE LLEVABAN BIEN.

FUE ASÍ COMO HUBBLE DEMOSTRÓ QUE LAS NEBULOSAS ESPIRALES ERAN EN REALIDAD GALAXIAS IGUALES QUE LA NUESTRA. EL UNIVERSO ERA MUCHO MÁS GRANDE DE LO QUE PENSABA SHAPLEY.

PERO ENTONCES, ¿CURTIS TENÍA RAZÓN Y SHAPLEY SE EQUIVOCABA? SÍ, PODRÍA DECIRSE QUE SÍ.

PERO LA VERDAD ES QUE NI SHAPLEY NI CURTIS PODÍAN SABER LO SUFICIENTE. AÚN NO TENÍAN BASTANTES DATOS.

Y ES QUE, VERÉIS, LA CIENCIA NO PROGRESA CON LOS DEBATES; AVANZA CONSTRUYENDO INSTRUMENTOS CADA VEZ MEJORES.

MIDIENDO.

ESO ERA PRECISAMENTE LO QUE QUERÍAMOS HACER BOB Y YO CON LA ANTENA: MEDIR. EN UN PRINCIPIO SE CONSTRUYÓ PARA RECIBIR LAS SEÑALES DEL "ECHO", EL PRIMER SATÉLITE DE TELECOMUNICACIONES. PERO, CUANDO DECIDIERON QUE YA NO LES SERVÍA, LOS LABORATORIOS BELL NOS DEJARON UTILIZARLA PARA ESTUDIAR LA VÍA LÁCTEA.

HOLMDEL, NUEVA JERSEY.

AUNQUE PAREZCA INCREÍBLE, AÚN HOY HAY QUIEN CREE QUE, COMO TRABAJÁBAMOS PARA LA BELL, ÉRAMOS INGENIEROS.

ES POSIBLE QUE NOS CONFUNDIERAN CON KARL JANSKY, QUIEN TAMBIÉN TRABAJÓ PARA LA BELL EN LOS AÑOS 30 Y ERA INGENIERO DE VERDAD, AL CONTRARIO QUE NOSOTROS.

LE PIDIERON QUE AVERIGUASE DE DÓNDE PROCEDÍAN LOS RUIDOS QUE INTERFERÍAN EN LAS LLAMADAS INTERCONTINENTALES.

LOS NIÑOS IBAN A JUGAR ALLÍ. LA GENTE LO LLAMABA "EL TIOVIVO DE JANSKY".

ASÍ FUE COMO CONSTRUYÓ UNA GRAN ANTENA ROTATORIA, INSTALADA SOBRE LAS RUEDAS DE UN FORD T.

JANSKY DESCUBRIÓ QUE PARTE DEL RUIDO PROVENÍA DE LA ATMÓSFERA: RELÁMPAGOS, TEMPESTADES, COSAS ASÍ.

SIN QUERER, JANSKY HABÍA INVENTADO LA RADIOASTRONOMÍA, UN MODO DE ESTUDIAR EL UNIVERSO VALIÉNDOSE DE ANTENAS EN LUGAR DE TELESCOPIOS.

PERO EL RESTO SE ORIGINABA EN EL CENTRO DE LA VÍA LÁCTEA. AUNQUE HUBO QUIENES CREYERON QUE ERA COSA DE EXTRATERRESTRES, ERA NUESTRA PROPIA GALAXIA, QUE EMITÍA ONDAS DE RADIO.

EL CASO ES QUE NO ÉRAMOS INGENIEROS, SINO RADIOASTRÓNOMOS, PARA SER EXACTOS.

LLEGUÉ A LOS LABORATORIOS BELL CUANDO AÚN ESTABA ESCRIBIENDO LA TESIS. QUERÍA UTILIZAR LA ANTENA PARA COMPLETAR MIS INVESTIGACIONES SOBRE LA VÍA LÁCTEA.

Y NO SÓLO ME LO PERMITIERON, SINO QUE ME PROPUSIERON QUE ME QUEDARA CON UN CONTRATO INDEFINIDO.

AL POCO TIEMPO CONTRATARON TAMBIÉN A BOB WILSON. Y EMPEZAMOS A COLABORAR.

EN ESOS MOMENTOS, SIN EMBARGO, NOS ENCONTRÁBAMOS EN UN PUNTO MUERTO. LA ANTENA CAPTABA RUIDO. TENÍAMOS QUE COMPRENDER POR QUÉ SI QUERÍAMOS OBTENER UN RESULTADO CIENTÍFICO DE NUESTRAS MEDIDAS.

NOS DÁBAMOS MAÑA CON LAS HERRAMIENTAS.

PERO QUIZÁ NOS FALTABA UN POCO DE VISIÓN DE CONJUNTO.

BERLÍN, 1920.

TOC TOC

¿PROFESOR?

JA?

BUENOS DÍAS. SOY DENNIS GLEICK, DEL "NEW YORK TIMES". ¿ME RECUERDA?

AH, SÍ, LA ENTRE-VISTA. SIÉNTE-SE, POR FAVOR. DESDE LUEGO, EN LOS ÚLTIMOS ME-SES NO ME HAN DADO USTEDES TREGUA. PASO MÁS TIEMPO CON PERIODISTAS QUE CON COLEGAS.

Y ÉSA ES LA IDEA: LA ACELERACIÓN TIENE SOBRE EL OBSERVADOR EL MISMO EFECTO QUE LA GRAVEDAD.

¿SABE CÓMO SE ME OCURRIÓ LA IDEA?

NO.

HACE UNOS AÑOS TRABAJABA EN LA OFICINA DE PATENTES DE BERNA. ERA UN OFICIO TEDIOSO, PERO ME DEJABA TIEMPO PARA PENSAR.

UN DÍA, SENTADO A MI ESCRITORIO, ME DIO POR IMAGINAR QUE ME TIRABA DEL TEJADO DEL EDIFICIO...

¡¿?!

¡JA, JA! NO SE PREOCUPE. SE TRATABA SOLAMENTE DE UN INOFENSIVO EXPERIMENTO MENTAL. INTENTABA COMPRENDER QUÉ SENTIRÍA UNA PERSONA EN CAÍDA LIBRE EN EL CAMPO GRAVITACIONAL TERRESTRE.

PUES VEAMOS, PARA NEWTON EL ESPACIO ERA ABSOLUTO, INMUTABLE...

...Y LA GRAVEDAD ERA UNA FUERZA A DISTANCIA ENTRE LOS CUERPOS.

EN MI TEORÍA, EN CAMBIO, LA GEOMETRÍA DEL ESPACIO DEPENDE DEL CONTENIDO DE MATERIA...

LA MASA CURVA EL ESPACIO...

...Y LA GRAVEDAD ENTRE LOS CUERPOS ES SIMPLE Y LLANAMENTE LA MANIFESTACIÓN EVIDENTE DE DICHA CURVATURA.

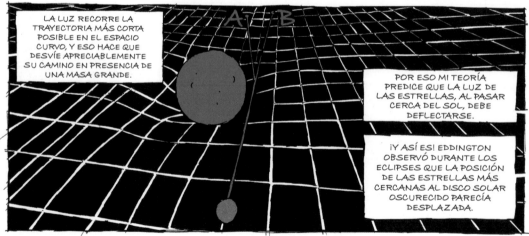

LA LUZ RECORRE LA TRAYECTORIA MÁS CORTA POSIBLE EN EL ESPACIO CURVO, Y ESO HACE QUE DESVÍE APRECIABLEMENTE SU CAMINO EN PRESENCIA DE UNA MASA GRANDE.

POR ESO MI TEORÍA PREDICE QUE LA LUZ DE LAS ESTRELLAS, AL PASAR CERCA DEL SOL, DEBE DEFLECTARSE.

¡Y ASÍ ES! EDDINGTON OBSERVÓ DURANTE LOS ECLIPSES QUE LA POSICIÓN DE LAS ESTRELLAS MÁS CERCANAS AL DISCO SOLAR OSCURECIDO PARECÍA DESPLAZADA.

¿Y SI LAS OBSERVACIONES DE EDDINGTON NO HUBIESEN DADO EL RESULTADO PREVISTO POR SU TEORÍA?

PUES LO HABRÍA SENTIDO POR EDDINGTON, Y TAMBIÉN POR EL BUENO DE DIOS.

MI TEORÍA ES CORRECTA, NO HAY OTRA.

¿EN QUÉ ESTÁ TRABAJANDO AHORA?

A PARTIR DE MI TEORÍA DE LA GRAVEDAD, HE DESCUBIERTO HACE POCO LAS ECUACIONES QUE DESCRIBEN COHERENTEMENTE LA ESTRUCTURA DE TODO EL UNIVERSO. HASTA AHORA NO HABÍA SIDO POSIBLE.

¡UN MODELO COSMOLÓGICO! ¿Y FUNCIONA?

NADA MAL, DIRÍA YO. LA ÚNICA DIFICULTAD QUE HE ENCONTRADO HA SIDO MANTENER LAS ESTRELLAS FIJAS EN SU SITIO.

VERÁ, LA GRAVEDAD ES PROPENSA A DESESTABILIZAR LAS COSAS. EL UNIVERSO TIENDE A COLAPSARSE BAJO SU PROPIO PESO.

PERO, COMO ESTOY CONVENCIDO DE QUE TIENE QUE SER ETERNO Y ESTÁTICO, ME LAS HE INGENIADO PARA INTRODUCIR EN MIS ECUACIONES UNA ESPECIE DE GRAVEDAD REPULSIVA. ME DA CIERTO REPARO, Y POR SU CULPA TAL VEZ ACABE LOCO DE ATAR. PERO ¡PARECE QUE FUNCIONA!

DON

DON

DON NN

AH, ¡SE HA HECHO TARDÍSIMO!

DISCULPE, PERO DEBO DESPEDIRME. TENGO UNA CITA EN LA OTRA PUNTA DE LA CIUDAD.

ESTOY CONVENCIDO DE QUE EL TIEMPO ES RELATIVO, PERO TAMBIÉN DE QUE NADA PUEDE ESTAR EN DOS SITIOS A LA VEZ...

Jamás en la gloriosa historia de la ciencia alemana hemos asistido a un caso de fraude y propaganda tan vergonzoso como el de la teoría de la relatividad del no alemán Albert Einstein.

COMO HEMOS VISTO EN LECCIONES ANTERIORES, LA TEORÍA DE LA RELATIVIDAD GENERAL DE EINSTEIN PREDICE LA MASA CURVA DEL ESPACIO Y QUE LA GRAVEDAD ES UNA MANIFESTACIÓN DE DICHA CURVATURA.

HOY VAMOS A LLEVAR ESTA CONCLUSIÓN UN PASO ADELANTE, APLICÁNDOLA A TODO EL UNIVERSO.

EN UN UNIVERSO LLENO DE ESTRELLAS DISTRIBUIDAS UNIFORMEMENTE, EL ESPACIO SE CURVA NO SÓLO CUANDO ESTÁ CERCA DE ESTRELLAS SUELTAS, SINO TAMBIÉN, EN GENERAL, A DISTANCIAS MUY GRANDES. EL ESPACIO TRIDIMENSIONAL EN SU TOTALIDAD TENDRÁ, PUES, UNA CURVATURA CONSTANTE.

¿Y CÓMO HACEMOS PARA VISUALIZAR DICHA CURVATURA?

¡NO PODEMOS!

ESTAMOS INMERSOS EN EL ESPACIO TRIDIMENSIONAL: ¡NO LOGRAMOS IMAGINAR EL UNIVERSO DESDE FUERA!

PERO ES POSIBLE COMPRENDER QUE EL ESPACIO ES CURVO AUNQUE VIVAMOS DENTRO, IGUAL QUE LLEGAMOS A ACEPTAR QUE LA TIERRA ES REDONDA SIN HABERLA VISTO NUNCA DESDE LEJOS.

A VER, ¿PUEDE ALGUIEN DECIRME CÓMO PODRÍAMOS MEDIR LA CURVATURA DE LA TIERRA SIN SALIRNOS DE SU SUPERFICIE?

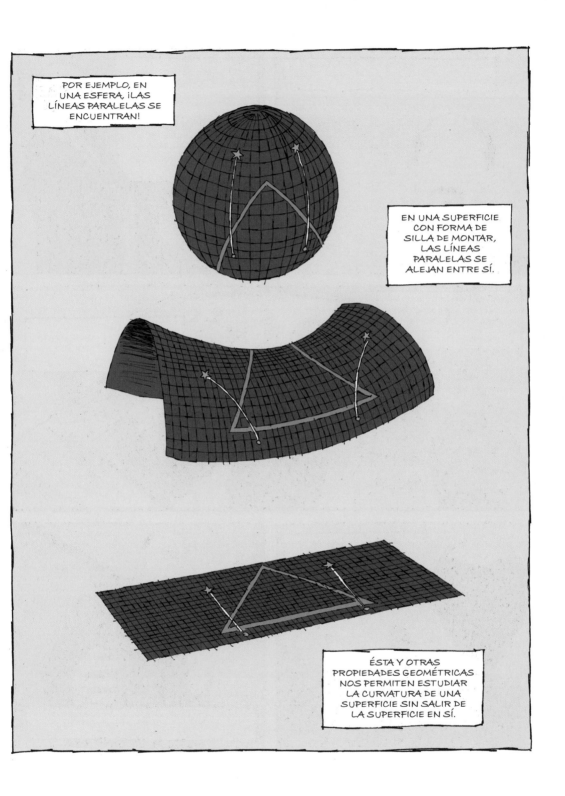

POR EJEMPLO, EN UNA ESFERA, ¡LAS LÍNEAS PARALELAS SE ENCUENTRAN!

EN UNA SUPERFICIE CON FORMA DE SILLA DE MONTAR, LAS LÍNEAS PARALELAS SE ALEJAN ENTRE SÍ.

ÉSTA Y OTRAS PROPIEDADES GEOMÉTRICAS NOS PERMITEN ESTUDIAR LA CURVATURA DE UNA SUPERFICIE SIN SALIR DE LA SUPERFICIE EN SÍ.

DE HECHO, ESTAS MISMAS CONSIDERACIONES PUEDEN APLICARSE A NUESTRO UNIVERSO.

SEGÚN LA DENSIDAD MEDIA CON LA QUE SE DISTRIBUYE LA MATERIA EN EL UNIVERSO, LA CURVATURA DEL ESPACIO TRIDIMENSIONAL PODRÍA SER NULA. EN ESE CASO, NOS VALDRÍA LA CONSABIDA GEOMETRÍA EUCLIDIANA.

O PODRÍA SER QUE EL UNIVERSO TUVIESE UNA CURVATURA POSITIVA, SIMILAR A LA DE UNA ESFERA PERO EN TRES DIMENSIONES.

O INCLUSO PODRÍA TENER UNA CURVATURA NEGATIVA, COMO UNA SILLA DE MONTAR.

SEGÚN EINSTEIN, EL UNIVERSO ESTÁ ENCERRADO EN SÍ MISMO COMO UNA ESFERA.

ENTONCES...

...SI VIAJÁSEMOS LO SUFICIENTEMENTE LEJOS EN EL ESPACIO, ¿VOLVERÍAMOS AL PUNTO DE PARTIDA?

¡EXACTAMENTE! UN UNIVERSO DE ESE TIPO SERÍA FINITO, AUNQUE NO TUVIESE CONFINES, IGUAL QUE LA SUPERFICIE DE LA TIERRA. UN UNIVERSO CON UNA CURVATURA NEGATIVA O NULA, EN CAMBIO, SERÍA INFINITO.

Y AUNQUE YO TAMBIÉN HE APLICADO LA TEORÍA DE LA RELATIVIDAD DE EINSTEIN PARA ELABORAR UN MODELO DEL COSMOS, HE LLEGADO A CONCLUSIONES DISTINTAS. OS LO EXPLICARÉ: PARA EINSTEIN, EL UNIVERSO ES ESTÁTICO.

YO, EN CAMBIO, HE DEMOSTRADO QUE ES POSIBLE QUE EL UNIVERSO SE EXPANDA O SE CONTRAIGA CON EL PASO DEL TIEMPO. SERÍA COMO VIVIR DENTRO DE UN ESPACIO ELÁSTICO.

SI SE PUDIERA INFLAR EL GLOBO TERRÁQUEO COMO UN BALÓN DE GOMA, LAS CIUDADES PERMANECERÍAN FIJAS EN LA SUPERFICIE, PERO LA DISTANCIA ENTRE ELLAS AUMENTARÍA.

SEGÚN MI MODELO, LO MISMO PODRÍA SUCEDER EN EL UNIVERSO: ¡LA SEPARACIÓN ENTRE PUNTOS DIVERSOS DEL ESPACIO PODRÍA AUMENTAR CON EL PASO DEL TIEMPO!

ES TODO POR HOY. SEGUIREMOS DISCUTIENDO LOS MODELOS COSMOLÓGICOS EN LA PRÓXIMA CLASE.

PROFESOR FRIEDMANN, ¿PUEDO HABLAR CON USTED?

CLARO, DÍGAME. SI NO LE IMPORTA, ACOMPÁÑEME AL DESPACHO.

ME ENCANTARÍA PODER HACER MI TESINA DE LICENCIATURA CON USTED. LA TEORÍA DE LA RELATIVIDAD ME FASCINA Y ME GUSTARÍA PROFUNDIZAR EN LA CUESTIÓN DEL UNIVERSO EN EXPANSIÓN.

CON MUCHO GUSTO. PERO VÁYASE PREPARANDO PARA QUE LO TACHEN DE EXCÉNTRICO.

MI MODELO COSMOLÓGICO NO HA TENIDO BUENA ACOGIDA. EL AÑO PASADO, CUANDO PUBLIQUÉ MIS CONCLUSIONES, EINSTEIN SE APRESURÓ A ESCRIBIR A LA REVISTA PARA QUEJARSE.

DIJO QUE LAS SOLUCIONES QUE HABÍA ENCONTRA-
DO SE LE ANTOJABAN SOSPECHOSAS Y QUE DEBÍA
HABER COMETIDO ALGÚN ERROR DE CÁLCULO.

LA REVISTA, COMO ERA
DE ESPERAR, PUBLICÓ LA
NOTA DE EINSTEIN.

Y ¿QUÉ HIZO USTED?

ESCRIBIRLE
A EINSTEIN.
LE ENVIÉ MIS
APUNTES CON
MIS CÁLCULOS
Y LE INSTÉ
A QUE LOS
VERIFICARA.

LE PEDÍ TAMBIÉN QUE,
EN EL CASO DE CONSI-
DERARLOS CORREC-
TOS, INFORMARA A LA
REVISTA Y REVISARA
SUS PROPIAS DECLA-
RACIONES.

¿Y EINSTEIN LE RESPONDIÓ?

SÍ, AL FINAL SÍ.
PERO LE LLEVÓ
UNOS MESES.

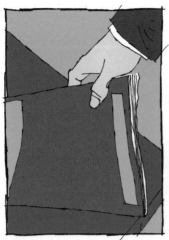

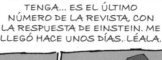

TENGA... ES EL ÚLTIMO NÚMERO DE LA REVISTA, CON LA RESPUESTA DE EINSTEIN. ME LLEGÓ HACE UNOS DÍAS. LÉALA.

"EN UNA NOTA ANTERIOR CRITIQUÉ EL TRABAJO DEL PROFESOR FRIEDMANN. PERO MI CRÍTICA DERIVABA DE UN ERROR MÍO DE CÁLCULO...

CONSIDERO LOS RESULTADOS DEL PROFESOR FRIEDMANN CORRECTOS E INTERESANTES."

NO ES EL COLMO DEL ENTUSIASMO, PERO POR LO MENOS RECONOCE SU ERROR. PERO, DÍGAME, ¿EN QUÉ LE GUSTARÍA CENTRARSE EN SU TESINA?

HE ESTADO PENSANDO EN QUE, SI EL UNIVERSO SE EXPANDE...

...ENTONCES EN EL PASADO TODOS LOS PUNTOS DEL ESPACIO DEBIERON ESTAR MÁS CERCA ENTRE SÍ. Y SI LO PENSAMOS A LA INVERSA...

CONGRESO SOLVAY DE FÍSICA.
BRUSELAS, 1927.

PROFESOR EINSTEIN, ¿ME PERMITE?

VENGA, ESTIREMOS LAS PIERNAS. ¿DE QUÉ QUERÍA HABLARME?

ACABO DE TERMINAR ESTE ARTÍCULO. SE HA PUBLICADO EN LOS ANALES DE LA SOCIÉTÉ SCIENTIFIQUE DE BRUSELAS.

¿EN FRANCÉS? ¡ASÍ NO VA A LEERLO NADIE!

ME BASTARÍA CON QUE LO LEYERA USTED, PROFESOR EINSTEIN...

EL CASO ES QUE CREO HABER ENCONTRADO ALGUNAS SOLUCIONES INTERESANTES A SUS ECUACIONES...

VEAMOS... "UN UNIVERSO HOMOGÉNEO DE MASA CONSTANTE Y RADIO CRECIENTE..."

VERÁ, EDWIN HUBBLE, EN ESTADOS UNIDOS, HA DEMOSTRADO QUE EXISTEN OTRAS GALAXIAS APARTE DE NUESTRA VÍA LÁCTEA Y, DESDE HACE UNOS AÑOS, ESTÁ INTENTANDO MEDIR LA VELOCIDAD CON LA QUE SE MUEVEN RESPECTO A NOSOTROS.

PUES BIEN, LOS DATOS QUE HA COSECHADO HASTA LA FECHA PARECEN COINCIDIR CON LAS PREDICCIONES DE MI MODELO.

HUM... TENDRÉ QUE ECHARLE UN VISTAZO A LAS OBRAS DE HUBBLE...

...PERO ME PARECE QUE LA IDEA DE QUE EN EL PASADO EL UNIVERSO ERA INFINITAMENTE DENSO CARECE DE TODO SENTIDO.

TODO EL INMENSO UNIVERSO QUE CONOCEMOS HABRÍA ESTADO COMPRIMIDO EN EL TAMAÑO... ¿DE QUÉ?, ¿DE UN ÁTOMO?

SOY PLENAMENTE CONSCIENTE DE QUE NUESTRA FÍSICA AÚN NO ESTÁ EN POSICIÓN DE EXPLICAR UNA SITUACIÓN ASÍ. PERO EN ESTOS AÑOS LA MECÁNICA CUÁNTICA NOS ESTÁ DESCUBRIENDO LOS SECRETOS DEL MUNDO MICROSCÓPICO...

...EL UNIVERSO PODRÍA HABERSE ORIGINADO POR UNA CHISPA DE ENERGÍA, POR LA DESINTEGRACIÓN DE UNA ESPECIE DE ÁTOMO PRIMIGENIO, Y NOSOTROS PODRÍAMOS ESTAR CONTEMPLANDO UN RECIENTE ESPECTÁCULO DE FUEGOS ARTIFICIALES QUE INTENTAN EVOCAR ESE ESPLENDOR FULGURANTE, RODEADOS DE CENIZA Y HUMO...

UTILIZAMOS UNA
ESCOPETA DE CAZA,
A CORTA DISTANCIA.
MURIERON EN EL ACTO.

NO ES ALGO DE LO QUE CONGRATU-
LARSE, PERO EN ESA ÉPOCA NOS
PARECIÓ LO MÁS HUMANO, LA ÚNICA
SALIDA PARA NUESTRO DILEMA.

CON TODO, NI SIQUIERA ESE GESTO
EXTREMO SIRVIÓ DE NADA. EL RUIDO EN
LOS DATOS SEGUÍA SIENDO IDÉNTICO.

YA NO SABÍAMOS
DÓNDE BUSCAR. EL
UNIVERSO EMPEZABA
A QUEDARNOS
DEMASIADO GRANDE.

NO TE MOLESTES EN EXPLICÁRMELO QUE NO VOY A ENTENDERLO.

¿TE APUESTAS CIEN DÓLARES A QUE SÍ?

SI TE VENDARA LOS OJOS, ¿DISTINGUIRÍAS UN TREN QUE SE ACERCA A LA ESTACIÓN DE UNO QUE SE ALEJA?

¡PUES CLARO QUE SÍ! LO RECONOCERÍA POR EL SILBIDO: EL DEL TREN QUE SE ACERCA ES MÁS AGUDO QUE EL DEL TREN QUE SE ALEJA.

ESO ES. PUES HUBBLE Y YO HEMOS UTILIZADO UN MÉTODO PARECIDO PARA MEDIR EL MOVIMIENTO DE LAS GALAXIAS RESPECTO A NOSOTROS. PERO, EN LUGAR DEL SONIDO, HEMOS UTILIZADO LA LUZ.

LA LUZ DE UNA GALAXIA QUE SE ALEJA DE NOSOTROS SE VE MÁS ROJA QUE LA DE UNA GALAXIA QUE AVANZA HACIA NOSOTROS.

¡QUÉ PILLOS!

EH, PERO SI ÉSE ES...

¡PROFESOR EINSTEIN, AQUÍ ESTOY!

CUÍDATE, NICK, Y ¡RECUERDA QUE ME DEBES CIEN DÓLARES!

ENTONCES, ¿ES SU PRIMER VIAJE A ESTADOS UNIDOS, PROFESOR EINSTEIN?

EL SEGUNDO, PERO LA PRIMERA VEZ QUE VENGO A CALIFORNIA. VOY A QUEDARME UN PAR DE MESES EN EL CALTECH.

¿Y CÓMO VAN LAS COSAS POR ALEMANIA?

DE MAL EN PEOR. ME TEMO QUE NADA PUEDE IMPEDIR QUE LOS NAZIS TOMEN EL PODER. ESTOY PENSANDO MUY SERIAMENTE EN IRME DE BERLÍN PARA SIEMPRE.

PUES AQUÍ LO ACOGERÍAMOS CON LOS BRAZOS ABIERTOS.

LO SÉ, HE RECIBIDO VARIAS OFERTAS. TAMBIÉN ESTOY APRENDIENDO INGLÉS, AUNQUE ESTÁ COSTANDO METERLO EN ESTA VIEJA SESERA.

BIENVENIDO A MOUNT WILSON, PROFESOR EINSTEIN.

SEÑORA ELSA, MIS RESPETOS.

LE PRESENTO A MI MUJER, GRACE.

UN HONOR, PROFESOR EINSTEIN.

ME HA DADO RECUERDOS CHARLIE CHAPLIN. INSISTE EN QUE VAYAN A CENAR A SU CASA UNA DE ESTAS NOCHES.

SÍGANME. QUIERO ENSEÑARLES EL NUEVO TELESCOPIO DE 2,5 METROS.

CON ESTE MONSTRUITO, PRETENDO MODESTAMENTE COMPRENDER LA FORMA DEL UNIVERSO...

PUES MI MARIDO LO CONSIGUE CON SÓLO UNA PLUMA Y EL REVERSO DE UN SOBRE VIEJO.

ENTONCES ESPERO QUE EL PROFESOR EINSTEIN PUEDA EXPLICAR LOS EXTRAÑOS RESULTADOS QUE HEMOS OBTENIDO.

HE LEÍDO SUS ARTÍCULOS Y ESTOY DESEANDO DISCUTIRLOS CON USTEDES.

MIRE ESTO. COMO VE, LOS ESPECTROS DE LAS GALAXIAS LEJANAS SE DESPLAZAN SISTEMÁTICAMENTE HACIA EL ROJO...

...Y SI EL DESPLAZAMIENTO EN LA FRECUENCIA DE LA LUZ SE INTERPRETA COMO UN EFECTO DOPPLER, NO PODEMOS POR MÁS QUE CONCLUIR QUE TODAS LAS GALAXIAS ESTÁN ALEJÁNDOSE DE NOSOTROS.

ESO ES LO QUE CREEMOS.

GALAXIAS ENTERAS QUE SE ALEJAN DE NOSOTROS A CENTENARES DE KILÓMETROS POR SEGUNDO. SI FUESE CIERTO, ¡SERÍA EXTRAORDINARIO!

ESTAMOS MUY SEGUROS DE NUESTRAS OBSERVACIONES.

DISTANCIA

VELOCIDAD

NGC 221

200 KM POR SEGUNDO

900.000 AÑOS LUZ

NGC 4473

2.253 KM POR SEGUNDO

7.000.000 AÑOS LUZ

NGC 379

5.471 KM POR SEGUNDO

23.000.000 AÑOS LUZ

PERO HAY MÁS. HEMOS HALLADO UNA LEY DE PROPORCIONALIDAD DIRECTA ENTRE LA VELOCIDAD A LA QUE LAS GALAXIAS PARECEN ALEJARSE DE NOSOTROS Y SU DISTANCIA.

RESULTA DESCONCERTANTE, Y NO ME VEO CAPAZ DE PROPONER UNA EXPLICACIÓN A DICHO FENÓMENO.

AH, EN REALIDAD TODO PUEDE EXPLICARSE PERFECTAMENTE MEDIANTE MI TEORÍA DE LA RELATIVIDAD GENERAL.

EL ESPACIO NO ES ESTÁTICO, ES DINÁMICO: PUEDE EXPANDIRSE COMO UNA PELOTA HINCHABLE. Y, CUANDO OCURRE ASÍ, LAS GALAXIAS SE VEN ARRASTRADAS POR LA EXPANSIÓN COMO SI ESTUVIERAN DIBUJADAS EN LA SUPERFICIE DE LA PELOTA.

DE MODO QUE SUS OBSERVACIONES SON PERFECTAMENTE RAZONABLES. ESTEMOS EN EL PUNTO DEL UNIVERSO EN QUE ESTEMOS, VEREMOS EL RESTO DE GALAXIAS ALEJARSE, CON UNA VELOCIDAD PROPORCIONAL A SU DISTANCIA.

ENTONCES NUESTRA POSICIÓN NO TIENE NADA DE ESPECIAL; LAS GALAXIAS NO ESTÁN ESCAPANDO DE NOSOTROS.

EXACTO. ES EL UNIVERSO ENTERO EN EXPANSIÓN, Y CADA GALAXIA SE ALEJA DEL RESTO DE GALAXIAS.

EDWIN, CIELO, SI NO HE ENTENDIDO MAL LA EXPLICACIÓN DEL PROFESOR EINSTEIN, ¡HAS HECHO UN DESCUBRIMIENTO EXCEPCIONAL!

NO TENGA LA MENOR DUDA, SEÑORA HUBBLE. ME APENA NO PODER DECIR LO MISMO, POR LA PARTE QUE ME TOCA.

VERÁN, ESTOS RESULTADOS YA LOS PREDIJO UN JOVEN FÍSICO BELGA, GEORGES LEMAÎTRE. CUANDO ME LO CONTÓ HARÁ UNOS AÑOS, NO LO TOMÉ EN SERIO. ME TEMO QUE LO DESPACHÉ CON DEMASIADA SUFICIENCIA.

DURANTE AÑOS ME HE EMPEÑADO EN QUE EL UNIVERSO DEBÍA SER ESTÁTICO Y FINITO. INCLUSO HE MODIFICADO MIS ECUACIONES POR ELLO.

AHORA ME DOY CUENTA DE QUE TAL VEZ HAYA COMETIDO UNO DE LOS MAYORES ERRORES DE MI CARRERA.

¿SABEN QUE DECÍA BABE RUTH? "LOS 'HOME RUNS' DE AYER NO GANAN LOS PARTIDOS DE HOY."

HABLABA DE BÉISBOL, PERO ES APLICABLE TAMBIÉN A LA CIENCIA. NI EL CIENTÍFICO MÁS GRANDE PUEDE VIVIR DE LAS RENTAS DE LOS DESCUBRIMIENTOS DE AYER.

EN EL PASADO, EINSTEIN HABÍA TENIDO IDEAS MARAVILLOSAS, PERO EN EL TEMA DEL UNIVERSO EN EXPANSIÓN SE EQUIVOCÓ.

LA PRUEBA ERA QUE LAS GALAXIAS SE ALEJABAN, Y EN CIENCIA LO ÚNICO QUE CUENTAN SON LAS EVIDENCIAS.

Y, ANTE LA EVIDENCIA, EINSTEIN REVISÓ SUS CONVICCIONES.

LA QUE ACABA DE EXPONER EL PROFESOR LEMAÎTRE ES LA EXPLICACIÓN MÁS BELLA Y CONVINCENTE DEL ORIGEN DEL UNIVERSO QUE HE ESCUCHADO EN MI VIDA.

DICIEMBRE DE 1964.

EL RUIDO QUE CAPTABA NUESTRA ANTENA TAMBIÉN ERA UNA EVIDENCIA, CLARO. PERO BOB Y YO CON GUSTO HABRÍAMOS PRESCINDIDO DE ÉL.

¿VA USTED TAMBIÉN AL CONGRESO DE LA AMERICAN ASTRONOMICAL SOCIETY?

ME LO HE IMAGINADO POR LOS GRÁFICOS. YO TAMBIÉN SOY RADIOASTRÓNOMO.

ENCANTADO. ME LLAMO BERNARD BURKE, BERNIE PARA LOS AMIGOS.

ARNO PENZIAS. EL PLACER ES MÍO, BERNIE.

¿A QUÉ TE DEDICAS, ARNO?

TRABAJO EN LOS BELL LABS. UN COLEGA Y YO ESTAMOS RECONFIGURANDO UNA ANTENA DE 6 METROS PARA ESTUDIAR LA EMISIÓN DE RADIO GALÁCTICA.

BONITO PROYECTO.

SOBRE EL PAPEL, SÍ, PERO, POR DESGRACIA, LLEVAMOS MESES ESTANCADOS. TENEMOS RUIDO EN LOS DATOS Y NO LOGRAMOS COMPRENDER QUÉ LO PRODUCE.

¿RUIDO? SERÁ EL SENSOR.

LO HEMOS DESCARTADO. HEMOS HECHO TODAS LAS PRUEBAS POSIBLES. VIENE DEL PROPIO CIELO. Y CON LA MISMA INTENSIDAD, NO IMPORTA ADÓNDE APUNTEMOS LA ANTENA.

¿A QUÉ FRECUENCIA?

MICROONDAS.

UNA SEÑAL DE RADIO ISÓTROPA EN LAS MICROONDAS. ME GUSTARÍA AYUDARTE, ARNO, PERO NUNCA HABÍA OIDO NADA IGUAL.

WASHINGTON, 1948.

¿QUÉ VA A SER, SEÑOR?

UN MARTINI, GRACIAS.

ÉSTOS SON MIS JÓVENES COLABORADORES. EL DE LA DERECHA, CON GAFAS, ES RALPH ALPHER, Y EL OTRO, ROBERT HERMAN.

Y ÉSTA ES MI CABEZA SALIENDO DE UNA BOTELLA DE COINTREAU. SEGURO QUE LA RECONOCE USTED...

ES MI OFICIO...

¡JE, JE, JE! MIRE, LE PUSE UNA ETIQUETA: YLEM.

ES UNA PALABRA QUE RALPH ENCONTRÓ EN UN DICCIONARIO, CREO QUE DE GRIEGO CLÁSICO. SIGNIFICA: "LA SUSTANCIA PRIMIGENIA QUE FORMÓ TODA LA MATERIA."

NOS PARECIÓ EL TÉRMINO PERFECTO PARA DESCRIBIR EL CÓCTEL DE PARTÍCULAS QUE DEBIÓ DE EXISTIR EN EL UNIVERSO PRIMIGENIO, A PARTIR DEL CUAL, SEGÚN NUESTROS CÁLCULOS, SE FORMARON LOS ELEMENTOS QUÍMICOS.

NO ENTIENDO NADA DE FÍSICA, PERO SI ME HABLA DE CÓCTELES Y LICORES LO SIGO. PARA AGRADECERLE LA EXPLICACIÓN, EL PRÓXIMO CORRE A CUENTA DE LA CASA, SEÑOR...

GAMOW, GEORGIY ANTONOVICH GAMOW. PERO PUEDES LLAMARME GEORGE A SECAS.

GEORGE WASHINGTON UNIVERSITY, 1948.

BUENAS, GEORGE. ¿SE PUEDE?

CLARO, RALPH. SIÉNTATE. ¿NOVEDADES?

HE REPASADO LOS CÁLCULOS MIL VECES Y ESTOY CONVENCIDÍSIMO DE QUE SON CORRECTOS.

ESTUPENDO. ¿PUEDO VERLOS?

TOMA. HE ACTUALIZADO LAS SECCIONES EFICACES Y HE SUPUESTO UN INTERVALO RAZONABLE DE TEMPERATURA Y DENSIDAD.

SI EL UNIVERSO SE INICIÓ TAL COMO CREEMOS, PODEMOS EXPLICAR LA FORMACIÓN DE LOS ELEMENTOS.

¡EXTRAORDINARIO! ¡TAN POCOS MINUTOS PARA FORMAR TODO EL HELIO DEL UNIVERSO! ¡SE TARDA MÁS EN ASAR UN PATO AL HORNO!

ENTONCES, ¿CREES QUE PODEMOS PUBLICARLO ASÍ?

¡PUES CLARO! ADEMÁS, QUIERO HACER ALGO QUE TENGO EN MENTE DESDE HACE UN TIEMPO...

¿EL QUÉ?

QUIERO PEDIRLE A HANS BETHE QUE FIRME EL ARTÍCULO CON NOSOTROS...

ALPHER, BETHE, GAMOW: COMO ALFA-BETA-GAMA, LAS PRIMERAS LETRAS DEL ALFABETO GRIEGO... ¿LO VES? ¡EL ORIGEN DE TODO! ¿NO ES PARA TRONCHARSE?

¡PUES NO! ¡HABLAMOS DE MI TESIS DE DOCTORADO! BETHE ES UN PEZ GORDO Y NO HA HECHO NADA EN ESTE TRABAJO. NI SIQUIERA SABE QUE EXISTE. SE LLEVARÁ TODOS LOS MÉRITOS...

¡RELÁJATE, HOMBRE! ¡UN POCO DE SENTIDO DEL HUMOR, CARAMBA! LE PREGUNTARÉ A HANS SI TIENE ALGO EN CONTRA.

¿UNA COPICHUELA DE VODKA PARA CELEBRARLO?

VODKOSKA

89

¡ES UN DESASTRE, ROBERT! ¡MIRA LA FECHA DE PUBLICACIÓN! ¡EL DÍA DE LOS INOCENTES!

COMO SI NO TUVIÉRAMOS BASTANTE CON LA GRACIETA DE GAMOW DE INCLUIR EL NOMBRE DE BETHE... ¡AHORA NADIE SE LO TOMARÁ EN SERIO!

TRANQUILO, HOMBRE. SI LA TEORÍA ES CORRECTA, TERMINARÁ ACEPTÁNDOSE. Y HAY UN MODO DE AVERIGUAR SI FUNCIONA DE VERDAD. YA TE LO COMENTÉ, ¿NO TE ACUERDAS?

¿EL CALOR RESIDUAL?

EXACTO. SI EL UNIVERSO PRIMORDIAL ESTABA LO SUFICIENTEMENTE CALIENTE COMO PARA COCER LOS ELEMENTOS, ESE CALOR TIENE QUE ESTAR TODAVÍA EN ALGUNA PARTE. LA EXPANSIÓN DEBE DE HABER ENFRIADO EL UNIVERSO HASTA POCOS GRADOS POR ENCIMA DEL CERO ABSOLUTO.

AQUÍ ESTÁN LOS CÁLCULOS. GAMOW TAMBIÉN LOS HA REPASADO.

DE ACUERDO. A VER, UNA RADIACIÓN TÉRMICA DE POCOS GRADOS KELVIN... SON MICROONDAS. ¿Y DICES QUE PUEDEN MEDIRSE?

POR DESGRACIA, NO TENGO NI IDEA. PRIMERO PUBLICAMOS LOS RESULTADOS Y LUEGO YA SE VERÁ.

GEORGE WASHINGTON UNIVERSITY, ABRIL DE 1948.

¿QUÉ PASA AHÍ DENTRO?

ESTÁN LEYENDO LA TESIS DOCTORAL.

ESO YA LO SÉ. PERO ¿POR QUÉ HAY TANTA GENTE? ¿Y LOS PERIODISTAS?

HAN VENIDO A ESCUCHAR LA EXPOSICIÓN DE ALPHER, EL BECARIO DE GAMOW. TIENE UNA TEORÍA SOBRE EL ORIGEN DEL UNIVERSO.

¡ES ABSURDO! SOMOS FÍSICOS, TENDRÍAMOS QUE DEJAR EL GÉNESIS A LOS CURAS.

Y CIERTAMENTE HASTA ESE MOMENTO EL ORIGEN DEL UNIVERSO HABÍA SIDO COSA DE TEÓLOGOS Y FILÓSOFOS. NO ERAN MUCHOS LOS CIENTÍFICOS RESPETABLES DISPUESTOS A CONVERTIRLO EN MATERIA DE ESTUDIO.

LA MAYORÍA DE LOS FÍSICOS HABRÍAN PREFERIDO UN UNIVERSO ETERNO, SIN PRINCIPIO. ERA MENOS PROBLEMÁTICO.

PUES A MÍ ME PARECE PERFECTA EN SU GÉNERO. ¿QUÉ ESPERAS DE UNA PELI DE MIEDO, HERMANN? ¡UN BUEN SUSTO!

¿TÚ QUÉ DICES, TOMMY?

ESTABA YO PENSANDO... LA PELÍCULA TERMINA IGUAL QUE EMPEZÓ. PODRÍA SEGUIR ASÍ HASTA EL INFINITO, ¿NO ES CIERTO?

¿Y SI EL UNIVERSO ESTUVIESE HECHO IGUAL?

TOMMY, POR LO QUE MÁS QUIERAS, NO PUEDES PENSAR SIEMPRE EN FÍSICA.

ANDA, ¡VAMOS A TOMARNOS UNA CERVEZA!

BUENA IDEA.

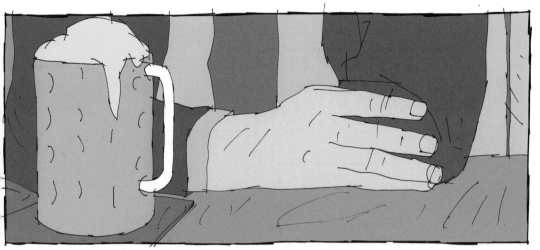

ESCUCHAD: EL UNIVERSO SE EXPANDE, VALE. PERO ESO NO SIGNIFICA NECESARIAMENTE QUE TUVIESE UN INICIO.

MIENTRAS VEÍA LA PELÍCULA SE ME HA OCURRIDO UNA MANERA DE PRESCINDIR DEL ORIGEN.

¿CÓMO? SI EL UNIVERSO SE EXPANDE, EN EL PASADO LA MATERIA TUVO QUE SER MÁS DENSA.

LA DENSIDAD DEBERÍA SER ADEMÁS INFINITA EN EL TIEMPO INICIAL, SIGNIFIQUE LO QUE SIGNIFIQUE.

A MÍ, COMO A EDDINGTON, LA IDEA TAMBIÉN ME PARECE UN AUTÉNTICO HORROR, PERO CREO QUE ES UNA CONCLUSIÓN INEVITABLE.

TODO CAMBIA PERO TODO PERMANECE IGUAL, ¡ETERNAMENTE! ¡COMO EN LA PELÍCULA!

NO ESTÁ CLARO... SI LA MATERIA SE CREASE CONTINUAMENTE, SU DENSIDAD PODRÍA SEGUIR SIENDO CONSTANTE, PESE A LA EXPANSIÓN. EL UNIVERSO PODRÍA EXISTIR DESDE SIEMPRE.

¿UNA CREACIÓN CONTINUA DE MATERIA? NO ES UNA SOLUCIÓN MUY ELEGANTE QUE DIGAMOS...

AH, Y UN UNIVERSO ENTERO QUE SURGE DE LA NADA, COMO UNA "STRIPPER" DE UNA TARTA, SÍ, ¿NO?

¡POR LO MENOS LA "STRIPPER" TENDRÍA SENTIDO!

ANDA, DAME ESA SERVILLETA.

SEGÚN LA TASA ACTUAL DE EXPANSIÓN DEL UNIVERSO, PARA MANTENER CONSTANTE LA DENSIDAD DE MATERIA BASTARÍA CON CREAR...

...ESO ES: UN ÁTOMO DE HIDRÓGENO POR METRO CÚBICO DE ESPACIO, CADA MIL MILLONES DE AÑOS. NO ES PARA TANTO.

TRAE QUE LO VEA.

DE ESTE MODO, ENTRE 1946 Y 1948, FRED HOYLE, HERMANN BONDI Y THOMAS GOLD DESARROLLARON SU PROPIA TEORÍA COSMOLÓGICA, UNA ALTERNATIVA.

EL 28 DE MARZO DE 1949 HOYLE LA DIO A CONOCER EN UN POPULAR PROGRAMA DE RADIO DE LA BBC.

ES CIERTO QUE LA TEORÍA DEL ESTADO ESTACIONARIO REQUIERE UNA HIPÓTESIS NUEVA, A SABER, LA CREACIÓN CONTINUA DE MATERIA EN EL UNIVERSO.

FUE EN ESA OCASIÓN, QUIZÁ PARA BURLARSE DE SUS OPOSITORES, CUANDO HOYLE INVENTÓ LA EXPRESIÓN BIG BANG.

SIN EMBARGO, LA TEORÍA RIVAL, PROPUESTA POR FRIEDMANN, LEMAÎTRE Y GAMOW, PRESUPONE QUE TODA LA MATERIA DEL UNIVERSO FUE CREADA EN UN... ¡BIG BANG! UNA EXPLOSIÓN ENORME QUE SE PRODUJO EN UN INSTANTE CONCRETO DEL PASADO REMOTO.

EN MI OPINIÓN, SE TRATA DE UNA HIPÓTESIS MUCHO MENOS ATRACTIVA DESDE EL PUNTO DE VISTA CIENTÍFICO. ES UN PROCESO IRRACIONAL, Y NO VEO CÓMO PODRÍA DEMOSTRARSE MEDIANTE OBSERVACIÓN DIRECTA.

SE ENFRENTABAN ASÍ DOS TEORÍAS ALTERNATIVAS SOBRE LA EVOLUCIÓN DEL UNIVERSO. UNA PREDECÍA UN ORIGEN Y LA OTRA NO. CADA UNA TENÍA SUS DEFENSORES.

HACÍA FALTA UNA PRUEBA EMPÍRICA, UNA OBSERVACIÓN QUE ESTABLECIERA QUIÉN TENÍA RAZÓN.

Washingto
14 DE ABRIL, 1948
ime to Change G
EL MUNDO NACIÓ EN 5 MINUTOS

LA EVOLUCIÓN DEL UNIVERSO
R. ALPHER & R. HERMAN
NOVIEMBRE DE 1948

Y, EN CONTRA DE LO QUE PENSABA HOYLE, SÍ QUE HABÍA UN MODO DE AVERIGUAR SI EL BIG BANG SE HABÍA PRODUCIDO DE VERDAD.

YA LO PROPUSIERON EN SU MOMENTO ALPHER, HERMAN Y GAMOW, PERO NADIE LES HABÍA HECHO CASO.

OBSERVACIONES EN TORNO AL UNIVERSO EN EXPANSIÓN
R. ALPHER & R. HERMAN
ABRIL DE 1949

YLEM

EN LOS AÑOS 50, CADA UNO SE FUE POR SU LADO Y SE DEDICÓ A OTRAS INVESTIGACIONES.

DESPUÉS DE UNA DÉCADA, YA NADIE RECORDABA SU TRABAJO.

BOB Y YO NUNCA HABÍAMOS OÍDO HABLAR DE ÉL.

HOLMDEL.
FEBRERO DE 1965.

RRRIIIN

¿DIGA?

ARNO, SOY BERNIE,
BERNIE BURKE.

¿TE ACUERDAS? NOS CONOCIMOS EN
UN AVIÓN, CUANDO LOS DOS ÍBAMOS
AL CONGRESO DE LA AMERICAN
ASTRONOMICAL SOCIETY.

CLARO QUE ME
ACUERDO. ME ALEGRO
DE OÍRTE, BERNIE.

PRINCETON (NUEVA JERSEY),
FEBRERO DE 1965.

PROF.
ROBERT
DICKE

BUENAS, JIM.

¿A MÍ TAMBIÉN ME HAS TRAÍDO BOCADILLO?

TOMA. ROASTBEEF SIN PEPINILLOS.

DAVE VIENE DENTRO DE CINCO MINUTOS. PETER Y ÉL ESTÁN TERMINANDO LA MEDICIÓN CON LA ANTENA.

OYE... MIENTRAS ESPERAMOS... CUÉNTAME QUÉ HA PASADO CON TU ARTÍCULO, JIM.

LA REVISTA LO HA RECHAZADO.

ME HAN PEDIDO QUE HAGA VARIAS CORRECCIONES. DICEN QUE LA BIBLIOGRAFÍA ESTÁ INCOMPLETA.

AL PARECER, HAY UNOS TRABAJOS ANTIGUOS QUE YA LLEGARON A LAS MISMAS CONCLUSIONES.

¿Y ES VERDAD ESO?

SÍ, ROBERT, ES CIERTO. PERO YO NO TENÍA NI IDEA.

ES UNA HISTORIA DE HACE CASI VEINTE AÑOS. GAMOW, ALPHER Y HERMAN.

ELLOS TAMBIÉN PREDIJERON QUE EL BIG BANG HABRÍA TENIDO QUE DEJAR UN RESIDUO EN FORMA DE RADIACIÓN TÉRMICA DE POCOS GRADOS KELVIN.

HUM... YO TAMPOCO TENÍA NI IDEA.

BUENO, NO PASA NADA. SI NOSOTROS MEDIMOS ESA SEÑAL, SEREMOS LOS PRIMEROS. Y NO HACE FALTA QUE TE DIGA LO QUE ESO SUPONDRÍA...

PROF. ROBERT DICKE

EH, ¿ME HABÉIS GUARDADO UN BOCADILLO?

HOLA, DAVE. ¿AVANZA O NO AVANZA EL ASUNTO DE LA ANTENA?

CASI HEMOS TERMINADO. PETER ESTÁ HACIENDO LAS ÚLTIMAS PRUEBAS Y...

RIIIIN

¿DIGA?

ROBERT DICKE

SÍ, AL HABLA ROBERT DICKE.

UN PLACER CONOCERLO, DOCTOR PENZIAS.

NO, NO ES MOLESTIA, DÍGAME.

SÍ, SÍ, CLARO, SERÍA UN PLACER IR A VER LA ANTENA Y DISCUTIR SUS RESULTADOS.

¿QUÉ PASA? ESTÁS BLANCO. ¿QUIÉN HA LLAMADO?

UN TIPO QUE TRABAJA EN LOS BELL LABS.

TODO APUNTA A QUE SE NOS HAN ADELANTADO.

¿CAPTÁIS LA IRONÍA? BOB Y YO LLEVÁBAMOS MESES INTENTANDO ELIMINAR LO QUE PARECÍA RUIDO EN NUESTRA ANTENA.

A UNAS DECENAS DE KILÓMETROS, ROBERT DICKE, JIM PEEBLES, DAVE WILKINSON Y PETER ROLL SABÍAN QUE NO ERA EN REALIDAD RUIDO.

ERA UNA SEÑAL.

LES HABRÍA GUSTADO SER LOS PRIMEROS EN MEDIRLA, PERO SE LES ADELANTARON DOS QUE NO SABÍAN QUÉ ERA LO QUE HABÍAN DESCUBIERTO.

VINIERON A VERNOS. VISITARON LA ANTENA Y ESTUDIARON DETENIDAMENTE TODO EL APARATO.

BOB Y YO LES DESCRIBIMOS NUESTRAS MEDIDAS.

COMPRENDIERON EN EL ACTO. NOS EXPLICARON QUÉ ERA LO QUE HABÍAMOS MEDIDO.

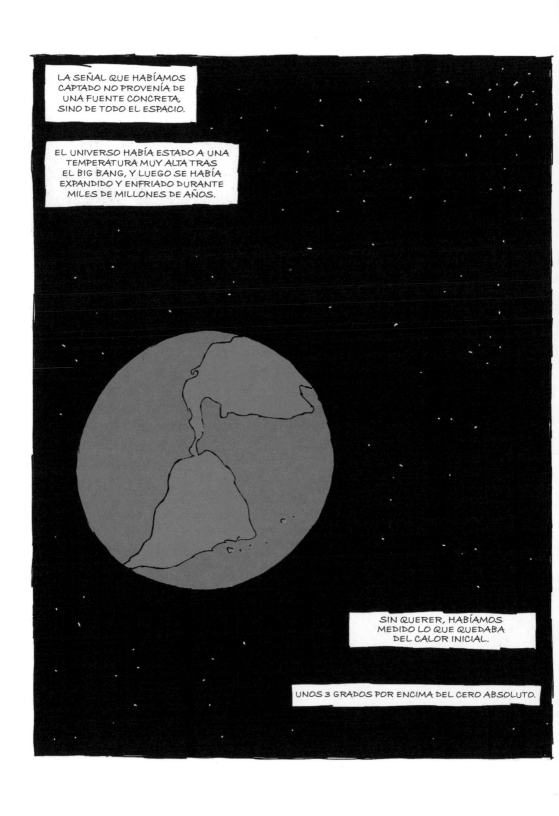

LA SEÑAL QUE HABÍAMOS CAPTADO NO PROVENÍA DE UNA FUENTE CONCRETA, SINO DE TODO EL ESPACIO.

EL UNIVERSO HABÍA ESTADO A UNA TEMPERATURA MUY ALTA TRAS EL BIG BANG, Y LUEGO SE HABÍA EXPANDIDO Y ENFRIADO DURANTE MILES DE MILLONES DE AÑOS.

SIN QUERER, HABÍAMOS MEDIDO LO QUE QUEDABA DEL CALOR INICIAL.

UNOS 3 GRADOS POR ENCIMA DEL CERO ABSOLUTO.

SI LO PENSÁIS, ES INCREÍBLE.

UNA FRACCIÓN MINÚSCULA DEL ZUMBIDO QUE ESCUCHÁIS CUANDO SINTONIZÁIS UNA RADIO ENTRE DOS CADENAS PROVIENE DE HACE CASI CUATROCIENTOS MIL MILLONES DE AÑOS.

DEL ORIGEN DEL UNIVERSO.

BOB Y YO HABÍAMOS SACADO A LA LUZ "EL DOCUMENTO ARQUEOLÓGICO MÁS ANTIGUO DE LA HISTORIA DEL UNIVERSO", EN PALABRAS DE GAMOW.

EL RESIDUO FÓSIL DEL BIG BANG.

NO DÁBAMOS CRÉDITO.

MANTUVIMOS LA CAUTELA, COMO HABÍAMOS HECHO SIEMPRE.

EN EL FONDO, SI HABÍAMOS LLEGADO A ESE PUNTO, HABÍA SIDO POR HABER INTENTADO HACER LAS COSAS BIEN.

GRACIAS POR VISITARNOS, PROFESOR DICKE.

GRACIAS A VOSOTROS POR PERMITIRNOS EXAMINAR VUESTRO INSTRUMENTO. ¿CÓMO QUERÉIS PROCEDER?

PUES, COMO ES NATURAL, NUESTRAS MEDIDAS TIENEN QUE VERIFICARSE EN OTRO ESTUDIO.

SERÍA IMPORTANTE QUE CONSIGUIERAIS TERMINAR VUESTRO EXPERIMENTO.

ES LO QUE TENEMOS PENSADO. MIENTRAS TANTO, SIN EMBARGO, PODRÍAMOS PUBLICAR ESTOS RESULTADOS.

NOSOTROS SÓLO HEMOS REALIZADO UNA MEDIDA. PODEMOS LIMITARNOS A DESCRIBIRLA EN DETALLE, PERO CONSIDERO QUE DEBERÍAMOS DEJAROS A VOSOTROS LA INTERPRETACIÓN DE NATURALEZA TEÓRICA.

ME PARECE UNA BUENA SOLUCIÓN. PREPARAREMOS DOS ARTÍCULOS POR SEPARADO.

COMPARTÍA LA PRUDENCIA DE BOB. ERA MEJOR NO COMPROMETERSE CON INTERPRETACIONES QUE PODRÍAN RESULTAR PRECIPITADAS.

EL ARTÍCULO QUE ENVIAMOS A "THE ASTROPHYSICAL JOURNAL" TAN SÓLO TENÍA 600 PALABRAS, POCO MÁS DE UNA PÁGINA.

DESCRIBIMOS MINUCIOSAMENTE NUESTRO TRABAJO CON LA ANTENA DURANTE LOS ÚLTIMOS MESES.

LA REVISTA ACEPTÓ PUBLICAR NUESTRO ESTUDIO Y EL DEL GRUPO DE PRINCETON EN EL MISMO NÚMERO.

York Tim
The New York Times Company.
day 21 maggio 1965

RIMENTS FOR SUCCESSFUL KS ABOUT BLAS

SEÑALES QUE CONFIRMAN EL UNIVERSO DEL "BIG BANG"

Científicos de los Laboratorios Bell han observado lo que, según un grupo de Princeton, podría ser el residuo de la explosión que dio origen al universo.

PERO, YA ANTES DE LA PUBLICACIÓN, LA NOTICIA DE NUESTRO DESCUBRIMIENTO FUE PORTADA DEL "NEW YORK TIMES".

NOS PARECIÓ UN ANUNCIO UN TANTO PRECIPITADO. NO OBSTANTE, EMPEZAMOS A DARNOS CUENTA DE LA IMPORTANCIA DEL ASUNTO.

EN DICIEMBRE DE ESE MISMO AÑO, EL GRUPO DE DICKE CONSIGUIÓ PONER EN MARCHA SU ANTENA EN EL TEJADO DEL INSTITUTO DE FÍSICA DE PRINCETON Y CONFIRMÓ NUESTROS RESULTADOS.

PARECÍA QUE HABÍAMOS ENCONTRADO LA PRUEBA DECISIVA DE LA EXISTENCIA DE UN BIG BANG.

GAMOW SE LO TOMÓ A MAL. SE SINTIÓ OLVIDADO.

ME APRESURÉ A ENVIARLE UN EJEMPLAR DE NUESTRO ESTUDIO Y ME RESPONDIÓ AMABLEMENTE, INFORMÁNDOME DE SUS VIEJAS INVESTIGACIONES CON ALPHER Y HERMAN.

LA ÚLTIMA FRASE DE SU CARTA DECÍA: "COMO VERÁ POR LO QUE LE CUENTO, EL MUNDO NO EMPEZÓ CON EL OMNIPOTENTE DICKE."

LO VI EN PERSONA UN PAR DE AÑOS ANTES DE QUE MURIERA, EN UN CONGRESO. LE PREGUNTARON SI LO QUE BOB Y YO HABÍAMOS MEDIDO ERA LO MISMO QUE ALPHER, HERMAN Y ÉL HABÍAN PREDICHO.

SI PIERDO UNA MONEDA Y ALGUIEN SE LA ENCUENTRA, NO PUEDO DEMOSTRAR QUE ES MI MISMA MONEDA. AHORA BIEN, YO PERDÍ UNA MONEDA EN EL MISMO SITIO DONDE ELLOS ENCONTRARON UNA.

SIGUIÓ UNA GRAN OVACIÓN.

PERO A LOS QUE PEOR LES SENTÓ FUE A ALPHER Y HERMAN.

LA TOMARON SOBRE TODO CON LOS DE PRINCETON, QUE HABÍAN IGNORADO SU TRABAJO.

ME ESCRIBIERON UNA CARTA PIDIÉNDOME QUE LOS AYUDASE A OBTENER POR FIN EL RECONOCIMIENTO QUE MERECÍAN.

YO LO INTENTÉ, AUNQUE NO SÉ SI LO LOGRÉ.

¿Y LOS TRES DEL ESTADO ESTACIONARIO? PUES BONDI ACEPTÓ LA DERROTA, PERO GOLD Y HOYLE SE OBSTINARON. HASTA SU MUERTE, AMBOS SE AFERRARON A LA IDEA DE UN UNIVERSO SIN ORIGEN.

ERA UNA TEORÍA BONITA. BOB TAMBIÉN LA PREFERÍA AL BIG BANG. PERO EN CIENCIA LO QUE CUENTA ES LA EVIDENCIA.

A MENUDO ME PREGUNTO: ¿POR QUÉ NOSOTROS?

AL ECHAR LA VISTA ATRÁS, NOS DIMOS CUENTA DE QUE PROBABLEMENTE OTROS RADIOASTRÓNOMOS SE HABÍAN ENCONTRADO CON ESE RUIDO SOBRANTE PERO LO HABÍAN IGNORADO.

LO HABÍAN CONSIDERADO UNA ANOMALÍA PASABLE.

NOSOTROS NO, NOSOTROS NO LO DEJAMOS CORRER.

NO SÉ SI LO SABÉIS, PERO DESDE PEQUEÑO SIEMPRE ME GUSTÓ CONSTRUIR MIS PROPIOS JUGUETES.

EL INSTRUMENTO CON EL QUE HICIMOS EL DESCUBRIMIENTO, EL QUE UTILIZAMOS PARA RECIBIR LA SEÑAL DE LA ANTENA DE HOLMDEL, TAMBIÉN LO HABÍAMOS CONSTRUIDO SOLOS.

CONOCÍAMOS TODAS Y CADA UNA DE SUS PIEZAS.

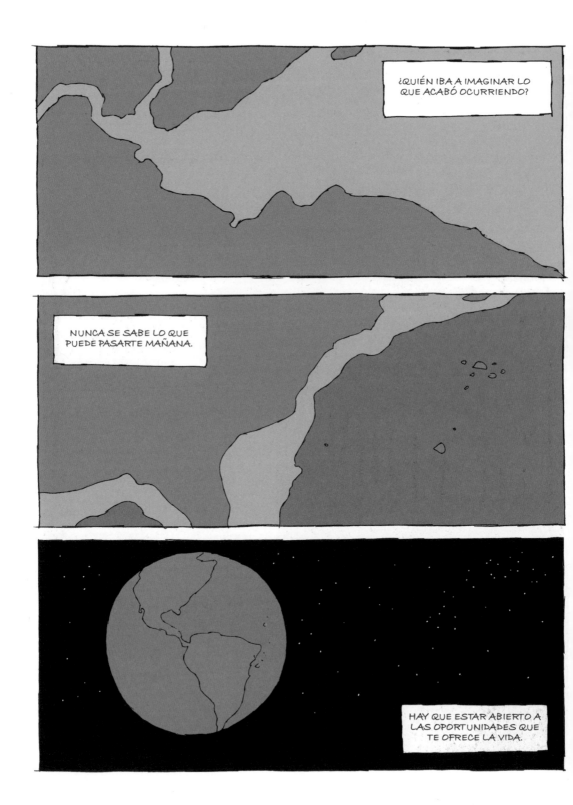

DESPUÉS DE NOSOTROS, HUBO OTROS QUE MIDIERON LA SEÑAL FÓSIL DEL BIG BANG CADA VEZ CON MAYOR PRECISIÓN, HASTA EL PUNTO DE APRECIAR LA PRESENCIA DE MINÚSCULAS VARIACIONES DE TEMPERATURA.

ESTAS DESIGUALDADES SON LAS SEMILLAS PRIMORDIALES DE LAS QUE NACIERON LAS GALAXIAS.

CADA VEZ VEMOS MÁS CLARO DE DÓNDE VENIMOS.

PERO QUEDA TODAVÍA TANTO POR COMPRENDER...

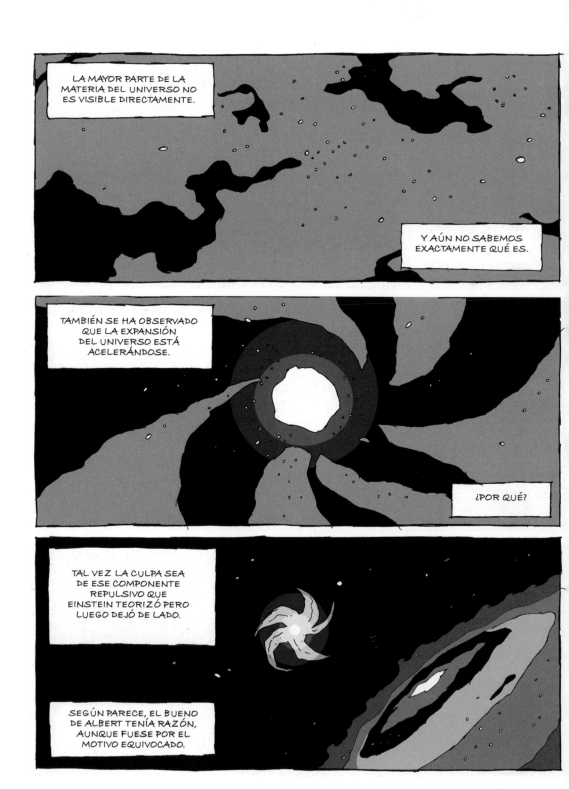

LA MAYOR PARTE DE LA MATERIA DEL UNIVERSO NO ES VISIBLE DIRECTAMENTE.

Y AÚN NO SABEMOS EXACTAMENTE QUÉ ES.

TAMBIÉN SE HA OBSERVADO QUE LA EXPANSIÓN DEL UNIVERSO ESTÁ ACELERÁNDOSE.

¿POR QUÉ?

TAL VEZ LA CULPA SEA DE ESE COMPONENTE REPULSIVO QUE EINSTEIN TEORIZÓ PERO LUEGO DEJÓ DE LADO.

SEGÚN PARECE, EL BUENO DE ALBERT TENÍA RAZÓN, AUNQUE FUESE POR EL MOTIVO EQUIVOCADO.

Y LUEGO ESTÁ LA PREGUNTA MÁS DIFÍCIL.

¿QUÉ HABÍA ANTES DEL BIG BANG?

PUEDE QUE LA NADA.

O TAL VEZ TODO EXISTA DESDE SIEMPRE Y NUESTRO UNIVERSO NO SEA MÁS QUE UNA FASE TRANSITORIA EN UN MEGAUNIVERSO INFINITO Y ETERNO.

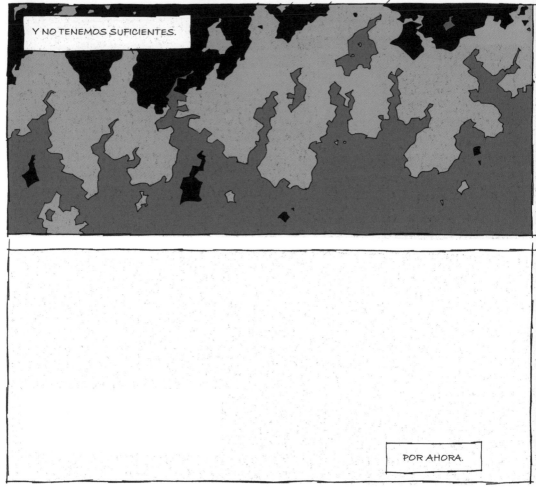

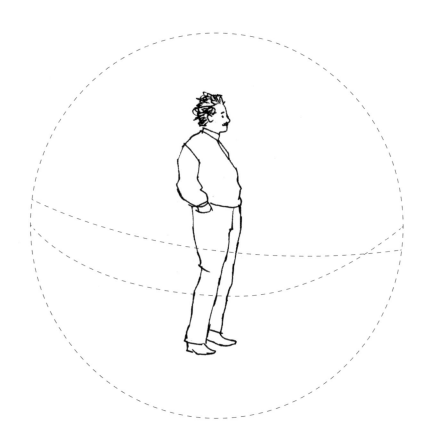

BIOGRAFÍAS

RALPH ALPHER (1921-2007)

Ralph Alpher nació en Washington (Estados Unidos). Tras licenciarse en Física, empezó a trabajar durante la Segunda Guerra Mundial para la Marina estadounidense y para el laboratorio de física aplicada de la Johns Hopkins University, antes de comenzar sus estudios de doctorado bajo la tutela de George Gamow. Junto a este último desarrolló la teoría de la formación de los elementos ligeros del universo primigenio, una contribución que fue determinante para los aspectos matemáticos del trabajo. En 1955 abandonó la investigación cosmológica para trabajar en la General Electric.

HERMANN BONDI (1919-2005)

—

Nacido en Viena (Austria), en 1937 se mudó a Inglaterra para huir de la persecución nazi. Estudió Física y Matemáticas en Cambridge como alumno de Arthur Eddington. Conoció a Thomas Gold en los primeros años de la Segunda Guerra Mundial, cuando ambos estaban presos en la isla de Man. Ciudadano inglés desde 1946, Bondi fue uno de los mayores expertos mundiales en relatividad general, y sus contribuciones al desarrollo de la cosmología fueron tan numerosas como importantes. En la recta final de su carrera, llegó a ser consejero científico del gobierno inglés.

HEBER CURTIS (1872-1942)

—

Heber Curtis nació en Muskegon (Estados Unidos).
Licenciado en Lenguas Clásicas, empezó trabajando de
profesor de Latín y Griego, antes de decidir dedicarse
a la astronomía. Tras doctorarse, fue contratado
en el Observatorio Lick, donde permaneció entre
1902 y 1920, año en que fue nombrado director del
Observatorio Allegheny. Ese mismo año participó
con Shapley en el debate sobre la naturaleza de las
nebulosas y el tamaño del universo. Concluyó
su carrera como director de los observatorios
de la Universidad de Míchigan.

ROBERT DICKE (1916-1997)

—

Robert Dicke nació en San Luis (Estados Unidos).
Sus investigaciones abarcaron tanto la física atómica
como la astrofísica y la física experimental. Durante
la Segunda Guerra Mundial contribuyó al desarrollo
del radar y diseñó un radiómetro, un receptor de
microondas que más tarde utilizarían también Arno
Penzias y Robert Wilson. Al poco tiempo inventó
el «lock in», un amplificador para extraer señales
de ambientes muy ruidosos. Durante la guerra se
estableció en Princeton, donde se dedicó sobre todo
a la investigación sobre la gravedad y a la cosmología,
y desarrolló una teoría de la gravitación alternativa
a la de Einstein.

ALBERT EINSTEIN (1879-1955)

—

Uno de los físicos más grandes de todos los tiempos, Albert Einstein nació en Ulm (Alemania). Entre 1907 y 1917 desarrolló la teoría de la relatividad general, que proporcionó el aparato teórico necesario para afrontar el problema del origen y la evolución del universo, y posibilitó así el nacimiento de la cosmología moderna. En 1933, tras la subida al poder de los nazis, Einstein decidió abandonar Alemania y mudarse a Estados Unidos. Se estableció en Princeton, obtuvo la ciudadanía estadounidense en 1940 y trabajó en el Institute for Advanced Study hasta el día de su muerte.

ALEXANDER FRIEDMANN (1888-1925)

—

El matemático y meteorólogo ruso Alexander Friedmann trabajó dando clases en varias universidades e hizo sus pinitos en la aeronáutica antes de regresar definitivamente a su ciudad natal, San Petersburgo, en 1920. En ese mismo periodo empezó a interesarse por la teoría de la relatividad general de Einstein, de la que pronto se convirtió en uno de los principales expertos y divulgadores de los círculos académicos rusos. En 1922 publicó una obra revolucionaria que demostraba la posibilidad teórica de un universo en expansión. Murió prematuramente de tifus, cuatro años antes de que las observaciones de Hubble demostraran la validez de sus ideas.

GEORGE GAMOW (1904-1968)

—

Nacido en Ucrania, en 1934 se exilió a Estados Unidos. George Gamow hizo importantes contribuciones a la física atómica y nuclear, antes de dedicarse a la astrofísica y la cosmología. Hasta 1954 dio clases en la George Washington University, para más tarde trasladarse a Berkeley y por último a Boulder (Colorado), donde permaneció hasta su muerte. Durante la segunda parte de su carrera se dedicó sobre todo a la enseñanza y a una exitosa carrera como escritor divulgativo; inventó entre otros el personaje del señor Tompkins, protagonista de una célebre serie de libros.

THOMAS GOLD (1920-2004)

—

Nacido en Austria, tras la invasión nazi de 1938, se refugió con su familia en Inglaterra. Estudió en Cambridge, donde empezó a trabajar al final de la guerra. Aparte de idear la teoría del estado estacionario con sus amigos Hermann Bondi y Fred Hoyle, Gold se dedicó a investigar en los campos más dispares (desde el nacimiento de la vida en la Tierra al origen de los combustibles fósiles). Fue muy dado a formular hipótesis consideradas controvertidas y poco convencionales.

ROBERT HERMAN (1914-1997)

—

Robert Herman nació en Nueva York (Estados Unidos) y obtuvo el doctorado en Física por la Universidad de Princeton. Empezó a trabajar durante la Segunda Guerra Mundial en el laboratorio de física aplicada de la Johns Hopkins University, donde conoció a Ralph Alpher. De la colaboración entre ambos nació la predicción de que, en el modelo del Big Bang, una señal electromagnética en las microondas habría de invadir el espacio vacío. En la década de 1950 abandonó la investigación universitaria y se colocó en los laboratorios de la General Motors, donde se dedicó al estudio de los patrones del tráfico.

FRED HOYLE (1915-2001)

—

Científico iconoclasta y controvertido, Fred Hoyle desarrolló toda su carrera en el Institute of Astronomy de Cambridge (Inglaterra), del que fue también director. Su contribución más importante a la astrofísica fue la comprensión del mecanismo de síntesis de los núcleos atómicos en el interior de las estrellas. En el tramo final de su carrera lanzó un conjunto de hipótesis poco ortodoxas que lo alejaron de la comunidad científica y que probablemente le costaron el premio Nobel por su trabajo en la nucleosíntesis estelar, que recibió en 1983 su colaborador William Fowler. Fue también escritor de ciencia ficción.

EDWIN HUBBLE (1889-1953)

—

Edwin Hubble nació en Marshfield (Estados Unidos) y trabajó en el Observatorio de Mount Wilson desde 1919 hasta su muerte. Antes de convertirse en uno de los astrónomos más importantes de todos los tiempos, Hubble estudió Derecho en Inglaterra y, al regresar a Estados Unidos, se ganó la vida como profesor de Español, Física y Matemáticas. Buen jugador de baloncesto, en su juventud capitaneó el equipo de la Universidad de Chicago. Sus descubrimientos más importantes (la medida de la distancia de la galaxia de Andrómeda y la relación entre el corrimiento al rojo de las galaxias y su distancia) supusieron el pistoletazo de salida de la cosmología moderna.

MILTON HUMASON (1891-1972)

—

Nacido en Dodge Center (Estados Unidos), Milton Humason empezó a frecuentar el Observatorio de Mount Wilson cuando estaba todavía en construcción, trabajando de peón y arriero de mulas. Se casó con la hija del jefe de obra del observatorio y fue contratado como vigilante y ordenanza. Aunque carecía de estudios, más tarde fue ascendido a ayudante nocturno, puesto en el que demostró una gran habilidad en el manejo de las placas fotográficas y de los espectros. Tuvo un papel fundamental en los descubrimientos de Edwin Hubble, de quien se convirtió en el colaborador principal.

GEORGES LEMAÎTRE (1894-1966)

—

Nacido en Charleroi (Bélgica), Georges Lemaître
estudió Física, Matemáticas e Ingeniería. En 1923 se
ordenó sacerdote e inició sus estudios de Astronomía
en Cambridge (Inglaterra) con Arthur Eddington.
Prosiguió sus estudios en Harvard, donde fue alumno
de Harlow Shapley, y terminó doctorándose en el
MIT. En 1927 predijo la relación entre la velocidad
y la distancia de las galaxias que observaron Hubble
y Humason tan sólo dos años después. Fue un
convencido defensor de la separación entre ciencia
y religión y en 1951 intentó (sin éxito) convencer al
papa Pío XII de que utilizase el modelo del Big Bang
como complemento al relato bíblico.

JIM PEEBLES (1935-)

—

Uno de los cosmólogos vivos más importantes,
Jim Peebles nació en Manitoba (Canadá). En 1958
se trasladó a Estados Unidos para doctorarse en
Princeton. Ha pasado el resto de su carrera académica
en la misma universidad, de la que
es hoy profesor emérito.

ARNO PENZIAS (1933-)
—

Nacido en Alemania pero naturalizado estadounidense en 1946, Arno Penzias ha desarrollado toda su carrera en los Bell Labs de Nueva Jersey, a los que llegó en 1961 y de los que ha sido también vicepresidente. Tras sus investigaciones en radioastronomía y el descubrimiento de la señal fósil del Big Bang, premiado en 1978 con el Nobel, Penzias se ha dedicado ante todo a la carrera directiva y a la innovación tecnológica.

HARLOW SHAPLEY (1885-1972)
—

Nació en Nashville (Estados Unidos) y en su juventud trabajó como periodista, antes de dedicarse al estudio de la astronomía. Poco después de doctorarse, fue contratado en el Observatorio de Mount Wilson, donde en 1918 hizo su descubrimiento más importante: la medida de las dimensiones de nuestra galaxia, la Vía Láctea, y de la posición del Sol en su interior. Al año de haber participado con Curtis en el debate sobre las dimensiones del universo, fue nombrado director del Observatorio de Harvard, donde permaneció hasta el final de su carrera.

ROBERT WILSON (1936-)

—

Nacido en Houston (Texas), Robert Wilson estudió
Física en el California Institute of Technology, y llegó a
los Bell Labs en 1963, después de doctorarse. Es *senior
scientist* del Harvard-Smithsonian Center
for Astrophysics desde 1994.

DAVID WILKINSON (1935-2002)

—

Nacido en Hillsdale (Estados Unidos), David
Wilkinson fue uno de los pioneros en la investigación
sobre la radiación residual del Big Bang. Wilkinson
desarrolló toda su carrera en Princeton y perteneció
desde sus inicios al grupo de Robert Dicke. Fue
uno de los artífices del satélite WMAP de la NASA,
rebautizado con su nombre a título póstumo.

NOTAS FINALES

Como en toda obra narrativa basada en personajes y acontecimientos reales, también en el caso de *Cosmicómic* el lector puede en estos momentos hallarse ante esta duda: ¿cuánto hay de verdad y cuánto de invención? Podría zanjar el tema con un «¡Es todo verdad!» y sería una síntesis aceptable para los menos puntillosos. Pero las cosas no son así de sencillas.

Pongámoslo de esta manera: este cómic tiene al menos tres planos de realidad. El primero está relacionado con los conceptos científicos presentes en la historia, que se han pretendido reflejar con la mayor fidelidad y rigor posibles dentro de los límites del tratamiento divulgativo. En otras palabras, la ciencia que encontráis en *Cosmicómic* es correcta y refleja los conocimientos actuales de la cosmología.

El segundo plano de realidad está relacionado con los personajes, que existieron todos (por supuesto, me refiero a los protagonistas, cuyo elenco aparece en las fichas biográficas, no a los secundarios). En este punto, no obstante, la cosa se vuelve más compleja. Digamos que se han hecho todos los esfuerzos posibles por reconstruir la personalidad (y la apariencia, en el caso del dibujo) de los protagonistas de esta historia, tal y como se deduce por la lectura de documentos históricos, y muchas de las palabras que se les atribuyen en *Cosmicómic* fueron realmente pronunciadas o escritas. Como cabe esperar, cuando se pasa de documentos escritos a una puesta en escena entra en juego un componente arbitrario y creativo que es inevitable.

Esto nos lleva al tercer y último plano de realidad, que está relacionado con las circunstancias y las modalidades específicas en que se han verificado los acontecimientos narrados. Es el plano en que nos hemos tomado pequeñas libertades, por dos razones: la primera, una exigencia de simplificación y fluidez narrativa; la segunda, la imposibilidad de saber realmente cómo sucedieron las cosas en situaciones en que no hubo testigos directos presentes. En cualquier caso, las (pocas) licencias narrativas no han restado naturalidad a la realidad histórica o a la esencia de los hechos. El único caso en que siento el deber de aclarar una discrepancia con los acontecimientos reales es en la recreación del primer encuentro entre Hubble y Humason. En realidad, cuando Hubble llegó a Mount Wilson, en 1919, Humason ya había sido ascendido a ayudante nocturno y, por tanto, en 1923, los dos

se conocían y hacía un tiempo que colaboraban. Sin embargo, no pude resistirme a la idea de escenificar una especie de *origin story* de una de las parejas más importantes y singulares de la ciencia moderna.

En resumidas cuentas, es todo verdad excepto por lo que nos hemos visto obligados a inventar… En este punto, los lectores a los que todas estas precisiones les parezcan superfluas pueden pasar a otra cosa. Para los demás, en cambio, diremos unas cuantas palabras más sobre algunas de las (muchas) fuentes consultadas para escribir la historia. Para empezar, un par de textos generales sobre historia de la cosmología (que, aunque no son los únicos, en mi opinión sí son los más completos) que contienen muchas de las anécdotas narradas en: *Corazones solitarios en el cosmos*, de Dennis Overbye, y *Big Bang*, de Simon Singh.

Los recuerdos de infancia que cuenta Arno Penzias en el prólogo se han extraído de su libro *El origen del universo*, así como otras anotaciones autobiográficas. La transcripción íntegra de las intervenciones de Heber Curtis y Harlow Shapley en el debate de 1920 pueden consultarse en el sitio web http://tinyurl.com/o6tqeo9. La frase con la que Curtis clausura el debate no la pronunció allí, sino que la escribió un año antes. Aparte de en el libro de Singh, este episodio aparece en *The edges of Physics*, de Anil Ananthaswamy.

La escena de la entrevista de Albert Einstein está inspirada en la famosa entrevista que le hizo en 1919 el corresponsal del *New York Times* en Berlín, y cuyo texto puede consultarse en: http://tinyurl.com/qaa9gk9. Nótese que en la entrevista original Einstein contaba que había visto cómo un hombre se tiraba de un tejado y se salvaba al caer en una montaña de basura. Algunos biógrafos pusieron en entredicho la veracidad del relato (que, objetivamente, es más bien poco plausible), como puede verse, por ejemplo, en *Einstein. Su vida y su universo*, de Walter Isaacson. Sobre el clima político de Alemania y su huella en Einstein, véase el artículo «Reactionaries and Einstein's fame: German scientists for the preservation of pure science, relativity and the Bad Nauheim meeting», de Jeroen van Dongen (http://tinyurl.com/ogpkjtv).

Los detalles sobre el «colombicidio» por parte de Penzias y Wilson se contaron en diversas ocasiones, entre otras en una entrevista radiofónica en la NPR en 2005 (que puede oírse en línea en http://tinyurl.com/pknuaxo).

La idea de que la teoría del estado estacionario fuese inspirada por la visión de una película de terror forma parte del folclore de la historia de la cosmología y se ha contado varias veces (entre otras, en el libro de Singh). He añadido de mi propia cosecha la continuación en el pub.

Las últimas palabras de Georges Lemaître se citan en el artículo «The rise of Bing Bang models, from myth to theory and observations», de Jean-Pierre Luminet (http://tinyurl.com/qysaq27), que contiene también una buena reconstrucción del papel desempeñado por el propio Lemaître y otros padres del Big Bang.

En cuanto a la ambientación, hemos hecho un trabajo meticuloso para procurarnos documentación fotográfica de época de los lugares donde sucedieron los hechos, siempre que nos ha sido posible.

En definitiva, creo que es superfluo especificar que ninguna de las personas que aparecen en este cómic ha estado involucrada en su realización y que ni ellos, ni sus herederos, han aprobado su contenido.

Amedeo Balbi

AGRADECIMIENTOS

Trabajar a cuatro manos es siempre un desafío. Yo he salido muy bien parado. Rossano Piccioni iba dando carne y hueso a las palabras y me infundía ganas de escribir la siguiente página para ver cómo cobraba vida.

Además, gracias al primer cómic que leí —quién sabe cuál— por haberme metido el gusanillo, a Jim Ottaviani y Leland Myrick por haberme hecho comprender que era posible, a Giorgio Gianotto por haber creído en nosotros desde el primer momento, a Enrico Casadei por el esmero en la maquetación, y a todo el maravilloso personal de esa joya creada por Vittorio Bo —gracias también a él— que responde al nombre de Codice Edizioni.

Y como siempre, y por todo, gracias a Ilaria.

Amedeo Balbi

Gracias a Sabrina por compartir conmigo esta vida, por estar siempre a mi lado y señalarme a menudo el camino correcto. Eres además mi arma. Siempre.

Gracias a Amedeo Balbi. Creo que la sintonía que hemos creado en este año de trabajo se puede leer entre las líneas de *Cosmicómic*. Ha sido un placer y un goce dibujar lo que se te pasaba por la cabeza.

Vaya aquí un agradecimiento para el *pitbull* Enrico Casadei. Me has atado en corto, y has hecho bien. Gracias por último a Arno, Robert, Albert, Edwin, Milton, George y todos los demás por habernos donado vuestros descubrimientos y vuestras fascinantes vidas.

Rossano Piccioni

Tras el nacimiento y el desarrollo de *Cosmicómic*, éste ha sido, durante un año entero, el trabajo de una persona que ha aportado a este proyecto su experiencia, su profesionalidad, ideas, soluciones y ánimos. En pocas palabras, ha sido el hombre sin el cual *Cosmicómic* no sería lo que es o, tal vez, ni siquiera hubiese visto la luz. ¡Gracias, Luca Blengino!

El editor y los autores

Cómo hicimos

COSMICÓMIC

A partir del guión de Amedeo…

PÁGINA 30

Página completa. Vemos el cuarto al completo
(un paralelepípedo, visto ligeramente desde
arriba, para dar la idea de forma tridimensional)
flotando en el espacio. Dentro del cuarto,
EINSTEIN, el PERIODISTA y otros objetos flotan
en el vacío, como si no hubiera gravedad.

NOTA: Si fuera imposible encuadrar todo el cuarto
desde fuera, podría bastar con encuadrar sólo una
parte, pero de modo que el espacio se vea por
encima y por debajo del cuarto y se entienda que
está flotando en el vacío.

                    EINSTEIN
                    …sino suspendido en el
                    espacio exterior.
            (cont.)
                    Sin la fuerza de la
                    gravedad de la Tierra,
                    flotaríamos en el cuarto,
                    sin notar ningún peso.

...Rossano hizo primero
el *story board*...

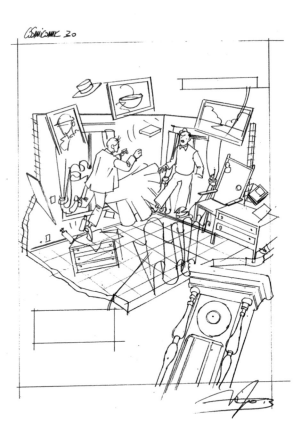

...que, una vez aprobado,
se convirtió en una página a lápiz.

El lápiz se entintó…

…y pasó a la última fase,
la coloración digital.

PÁGINA 65

1-2

El tren está parado. Vemos bajar de un vagón a un personaje de unos cincuenta años. Detrás se ve a una mujer. Son ALBERT EINSTEIN y su mujer ELSA.

3

Primer plano de NICK y HUMASON.
El primero tiene cara de sorpresa.
El segundo agita la mano para que Einstein lo vea.

NICK

Eh, pero si ése es…

HUMASON

¡Profesor Einstein, aquí estoy!

4

HUMASON se despide de NICK, todavía atónito, con una palmadita en la espalda.

HUMASON

Cuídate, Nick, y ¡recuerda que me debes cien dólares!

5

Corte a HUMASON, EINSTEIN y ELSA, que se acercan a un automóvil. Es un Pierce Arrow Touring.

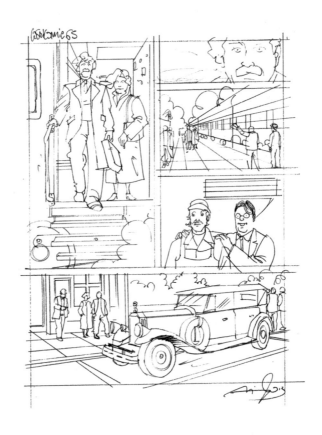

EPÍLOGO

Cuando escribí *Cosmicómic*, decidí no aventurarme en el relato de los avances de la cosmología más recientes —ni de los que estaban por llegar—, y limitarme a la historia ya afianzada de cómo acabamos por convencernos de que existió un Big Bang. El descubrimiento de la radiación cósmica de fondo por parte de Penzias y Wilson marcó una línea divisoria en nuestra comprensión del universo: hay un antes y un después, y quise centrarme en el primero. En las últimas páginas del libro se esboza algo sobre lo que sucedió a continuación, pero tal vez es conveniente añadir algo más.

Poco después del descubrimiento de Penzias y Wilson, los cosmólogos empezaron a estudiar la posibilidad de investigar variaciones minúsculas en la intensidad de la radiación cósmica de fondo. La idea era que el gas incandescente que llenaba el universo primordial no podía haber sido completamente uniforme: tenían que existir pequeñas fluctuaciones de densidad que la gravedad debió de amplificar en el transcurso de los millones de años siguientes, hasta formar los centenares de millones de galaxias que vemos en el universo actual. Fueron necesarias varias décadas para corroborar con pruebas esta hipótesis. Al principio de la década de 1990, un satélite de la NASA llamado COBE encontró estas fluctuaciones minúsculas impresas en la radiación cósmica de fondo, fotografiando las semillas a partir de las cuales se formó todo lo que existe en el cosmos.

Mientras tanto sucedieron otras cosas. En la década de 1970 empezó a tomar fuerza entre los cosmólogos la posibilidad de que en el universo hubiese mucha más materia de la que podían observar directamente los telescopios. Esta materia, rebautizada como «oscura», debía ser completamente distinta de los átomos de los que están compuestas las estrellas (y nosotros mismos): no emitía ni absorbía luz, y su presencia solamente podía notarse por medio de la interacción gravitatoria.

Mientras iban acumulándose las evidencias a favor de la existencia de la materia oscura, surgió un nuevo marco teórico que describía los instantes iniciales del cosmos. En 1980, un joven físico llamado Alan Guth lanzó la hipótesis de que las primeras fracciones de segundo de la evolución del universo estuvieron marcadas por una expansión violenta y rapidísima, llamada «inflación», que debía de haber afectado a una región de espacio de dimensiones subatómicas. Cuando acabó la inflación, el universo debió de volver a ser extremadamente uniforme, por término medio, y con una curvatura a gran escala insignificante. No sólo eso: la inflación predecía que las fluctuaciones cuánticas aleatorias presentes en la región microscópica inicial se amplificaron y se transformaron así en las fluctuaciones de densidad a partir de las cuales se formaron las galaxias. Cuando COBE encontró

las huellas reales de esas fluctuaciones en la radiación cósmica de fondo, se consideró un punto a favor de la teoría de la inflación (y les granjeó a los directores del experimento, George Smoot y John Mather, el premio Nobel de Física en 2006).

En los años que siguieron a los descubrimientos de COBE, hubo otros experimentos que estudiaron con mayor detalle las variaciones de intensidad de la radiación cósmica de fondo. A caballo entre el siglo XX y el XXI, distintos equipos científicos (como los de los proyectos Boomerang, MAXIMA y del satélite WMAP de la NASA) lograron recabar datos importantes sobre la estructura del universo: demostraron, por ejemplo, que su curvatura a gran escala era insignificante, justo como había predicho la inflación, y respaldaron las pruebas a favor de la existencia de elementos oscuros.

El misterio estaba alargándose a este respecto. En 1998, dos equipos distintos de astrónomos descubrieron que la expansión del universo había empezado a acelerarse en tiempos recientes mediante un mecanismo análogo al que había desencadenado la inflación inicial. La explicación más probable del fenómeno es que exista, además de una materia oscura, una forma de «energía oscura» causante de la aceleración de la expansión: este nuevo planteamiento abre una serie de interrogantes teóricos que todavía no se han esclarecido, sumándose así al problema aún sin resolver de la naturaleza de la materia oscura. (El descubrimiento de la expansión acelerada del universo fue galardonado con el Nobel de Física en 2011).

Y llegamos al presente. En la actualidad más rabiosa, en marzo de 2014, un nuevo descubrimiento podría haber añadido otro elemento importante a nuestra comprensión del cosmos. El equipo del experimento BICEP (un radiotelescopio situado en el Polo Sur) ha afirmado haber descubierto en la radiación cósmica de fondo las huellas de la presencia de ondas gravitacionales (ondulaciones en el espacio-tiempo predichas por Einstein en su teoría de la relatividad general) de origen primordial. Su presencia es otra de las predicciones de la teoría de la inflación y, de confirmarse en un futuro, podría ser la prueba definitiva a favor de ésta. Se abriría por tanto una ventana hacia eventos acaecidos cuando lo que después se convirtió en nuestro universo llevaba existiendo apenas 10 elevado a menos 35 segundos. Estamos increíblemente cerca de observar el origen de todo y de comprender cómo ocurrieron realmente las cosas. Hasta donde sabemos hoy, es imposible echar la vista más atrás en el tiempo: pero las preguntas no han acabado y nosotros seguimos buscando las respuestas.

Amedeo Balbi, marzo de 2014